RENE NELLI

Les Cathares

marabout

collection
marabout université

PREMIERE PARTIE

Une civilisation avortée.
L'ébauche d'une société future

Le catharisme est encore fort mal connu du grand public. Pourtant il constitue, dans l'histoire occidentale, un cas unique à bien des égards.

On peut étudier le phénomène cathare sous deux angles bien différents : en tant qu'hérésie ou en tant que civilisation originale. L'hérésie s'est développée avec succès dans plusieurs pays d'Europe. Mais le catharisme, en tant que civilisation ou, du moins, en tant qu'expression spirituelle la plus achevée d'une civilisation spécifique, avec sa culture, ses mœurs, ses lois, etc., s'est surtout épanoui en Occitanie.

Il y eut de nombreux cathares en Italie, mais ils restaient des groupes minoritaires, donc un phénomène marginal. Dans le midi de la France, la doctrine et le mode de vie cathares ont traduit l'âme, la sensibilité profonde de tout un peuple. Ce fut le produit spontané, naturel, d'une certaine manière de voir et de ressentir le monde, propre à cette société occitane si différente de ce qu'on pouvait appeler alors la société française et qui ne concernait que le nord du pays.

En cela, le catharisme préfigure certaines formes de protestantisme qui, aux XVᵉ et XVIᵉ siècles, constitueront à la fois une révolte spirituelle contre Rome et l'expression religieuse la plus appropriée au tempérament de certains peuples. Et dans les guerres de Religion qui ravageront toute l'Europe de la Renaissance, nous retrouverons, étroitement mêlés, des éléments spirituels, politiques et sociaux.

A cet égard, l'histoire du catharisme apparaît comme une longue lutte à mort entre deux civilisations : celle du nord et celle du midi de la France actuelle. A Montségur, les assiégés appelaient leurs ennemis «les Français»; c'est qu'ils pensaient eux-mêmes appartenir à une autre nation, une autre civilisation.

Le catharisme est extraordinairement éloigné du catholicisme. Il est, en fait, beaucoup plus qu'une simple hérésie, un simple désaccord sur un ou plusieurs points de théologie; il procède d'une conception du monde, d'une démarche intellectuelle et spirituelle complètement opposées à celles du christianisme traditionnel, peut-être même du christianisme tout court. Pour qu'une religion originale se soit ainsi formée, il fallait qu'il y eût un terrain social favorable, une civilisation originale.

Récemment, nous avons vu toute une civilisation, peut-être démoniaque, mais certainement différente de tout ce que nous connaissions, se former, s'épanouir et s'écrouler — en moins de quinze ans — dans l'apocalypse du Berlin de mai 1945.

Le catharisme a duré plus longtemps et on ne peut guère lui prêter une nature démoniaque. Mais sa chute représente la destruction de toute une civilisation, l'étranglement d'une culture et d'un mode de vie qui auraient vraisemblablement plus tard engendré une nation aussi différente de la France du Nord que l'Espagne ou que l'Italie. Bien sûr, l'histoire du monde en aurait été bouleversée.

C'est donc cette civilisation, malheureusement trop brève, que nous allons tenter de faire revivre — son histoire politique, sa pensée philosophique, sa morale, ses mœurs, etc. — en la replaçant toujours dans le contexte de l'époque et en la rattachant autant que possible aux divers courants qui ont contribué à sa formation.

Cité souvent comme l'une des origines les plus directes du catharisme, le bogomilisme avait pris dès le Xe siècle, en Bulgarie, sous le règne de Pierre Ier (927-929), les caractères d'un mouvement révolutionnaire dirigé contre les boyards et les grands dignitaires de l'Eglise considérés tous, à quelques exceptions près, comme des suppôts de Satan. Il n'en fut pas de même en Languedoc où le catharisme se répandit, au XIIIe siècle, dans toutes les classes de la société et trouva autant de défenseurs dans les châteaux que dans les chaumières. Les petits chevaliers, souvent ruinés, se sentaient plus solidaires de la paysannerie ou de la bourgeoisie urbaine que de leur propre classe et ne redoutaient nullement — à supposer qu'ils les eussent pressenties — les conséquences sociales de la révolution morale que le catharisme semblait annoncer. Beaucoup d'entre eux, indignés par l'inconduite de certains prêtres romains, adhéraient sincèrement à l'hérésie. A la veille de la Croisade (1209), ils avaient souvent recours à l'aide financière des Bons-hommes. Leurs veuves et leurs filles qui restaient souvent sans ressources trouvaient asile et protection dans les maisons de la secte. Dans presque toutes les familles seigneuriales de cette époque — surtout dans la vicomté de Carcassonne —, on comptait au moins un «croyant» ou une «croyante». On trouve même des «parfaits» appartenant à la haute noblesse. Quand ces hobereaux n'étaient pas croyants eux-mêmes, ils étaient du moins anticléricaux et leur sympathie active allait toujours aux Bons-hommes — souvent leurs parents ou leurs amis — qui étaient aussi pauvres qu'eux et dont la vie était irréprochable.

Les grands seigneurs — en dépit de l'attachement tout extérieur qu'ils montraient à l'Eglise catholique — étaient encore plus anticléricaux, mais pour d'autres raisons. Le catharisme était pour eux prétexte à s'affranchir de la tyrannie de Rome. Ils voulaient pouvoir répudier leurs femmes quand ils en avaient envie; faire la guerre quand bon leur semblait, sans respecter la «Trêve de Dieu»; entretenir à cet effet des corps de routiers qui ravageaient le pays; et, comme ils n'étaient nullement antisémites, ils n'hésitaient pas à prendre des Juifs à leur service et à leur confier des postes où ils avaient commandement sur les chrétiens : toutes choses que l'Eglise romaine leur interdisait si elle en avait le pouvoir. Et, naturellement, quand ils avaient confisqué les biens ecclésiastiques et les dîmes ou imposé leur contrôle aux abbayes, ils jugeaient que rien n'était plus à craindre pour eux que le rétablissement de l'autorité catholique. C'est donc par intérêt qu'ils ménageaient le catharisme.

Leurs femmes semblaient, dans l'ensemble, plus attachées à l'hérésie, parce qu'elles sentaient confusément que celle-ci tendait à donner plus de dignité et de liberté à tout leur sexe. Et, de fait, ce sont souvent des intérêts sociaux qui ont attiré les femmes de toutes les classes sociales vers le catharisme. Dans les limites des possibilités offertes par leurs classes respectives, les pratiques hétérodoxes leur donnaient dans une mesure appréciable des droits égaux à ceux des hommes. «Quoique les barrières du patriarcat, écrit M. Koch, n'aient pas été totalement supprimées à l'intérieur des communautés féminines cathares, puisque la direction spirituelle des couvents restait en grande partie aux mains des diacres, les droits et libertés des parfaites y étaient cependant beaucoup plus considérables qu'à l'intérieur des établissements romains du même genre. Les couvents étaient financés par les dons des croyants et par le travail des membres de la communauté... Il n'existait alors aucune organisation destinée à aider les femmes et les filles pauvres. Celles qui travaillaient dans l'artisanat textile — ou dans des industries analogues — et qui étaient particulièrement exploitées, cherchaient souvent refuge et protection dans les établissements communautaires cathares.»

Le morcellement des fiefs (résultant du partage égal des patrimoines entre tous les fils) était allé grandissant au XIIIe siècle et il plongeait la petite noblesse dans une sorte de crise économique permanente qui rendait difficile la dotation des filles. C'est souvent parce qu'elles étaient sans moyens d'existence correspondant à leur rang que beaucoup d'entre elles se firent recevoir comme parfaites dans les maisons hérétiques. Ces maisons, certes, étaient soumises à l'autorité des évêques et des diacres, mais c'était une autorité toute morale, sans contrainte ni discipline imposées, et elle s'exerçait également sur les hommes. Les parfaites ne pouvaient pas accéder aux degrés suprêmes de la hiérarchie, le diaconat et l'épiscopat, mais elles avaient les mêmes droits que les parfaits et pouvaient conférer le *consolamentum*. Les croyants s'inclinaient devant elles et les «adoraient»: elles étaient habitées par l'Esprit, aussi bien que les Bons-hommes. Jusqu'au milieu du XIIIe siècle, elles eurent même le droit de prêcher, mais n'en usèrent jamais beaucoup, leur rôle consistant plutôt à s'occuper de l'éducation des filles, à soigner les malades et à faire prospérer leurs petits artisanats.

Sans doute la misogynie n'avait pas tout à fait disparu du catharisme, mais le dogme enseignait non seulement que les âmes, asexuées, étaient égales, mais encore que les réincarnations changeaient aussi bien les hommes en femmes que les femmes en hommes. L'égalité des sexes au Moyen Age est toujours restée plus mythique que réelle. Il n'en est pas moins vrai que le catharisme a favorisé assez positivement dans la vie religieuse, dans le mariage et dans les mœurs, les tendances égalitaires et libératrices qui commençaient à se manifester chez toutes les femmes, mais surtout dans la classe aristocratique.

Quand la guerre eut été déclenchée, la plupart des princes méridionaux furent obligés, par la force des choses, de s'appuyer sur leurs sujets hérétiques pour défendre leurs droits. Le roi Pierre d'Aragon lui-même, pourtant bon catholique, fut finalement contraint, par l'enchaînement des causes politiques, de venir au secours du comte de Toulouse.

Tous ces intérêts, tous ces calculs contradictoires ont dissimulé aux yeux des contemporains que l'hérésie cathare était en elle-même peu compatible avec le système féodal. Il est vrai que celui-ci, en Languedoc, était déjà très affaibli : la propriété roturière, le pouvoir de l'argent y contrebalançaient quelque peu le principe aristocratique que la terre appartient aux seigneurs et qu'elle ne peut être cédée en usufruit que contre un service d'«honneur». L'influence des consuls et des bourgeois s'était accrue considérablement dans les villes... Les croisés du Nord, plus clairvoyants que les barons méridionaux, se hâteront après leur victoire de restaurer l'ordre économique et social voulu par l'Eglise et que le catharisme n'avait pas eu le temps de beaucoup modifier.

En réalité, le catharisme est, dans son essence, presque aussi opposé aux valeurs féodales que l'était le bogomilisme. Pour lui aussi, les princes, les barons et les évêques sont les représentants de l'ordre du Mal. Sans prétendre réduire le dualisme métaphysique à un dualisme purement social, on doit reconnaître que tout ce qui constitue les ressorts de la féodalité était condamné par les cathares. Une de leurs prières fait allusion au caractère satanique de la hiérarchie vassalique et de toute société reposant sur la subordination forcée d'un homme à un autre : l'empereur commande au roi, le roi au comte, le comte au chevalier ; chacun s'efforce d'asservir son prochain, «comme à la chasse on prend une bête avec une autre bête», le gibier avec le faucon. Au bas de l'échelle, le plus humble supporte le poids de toute la hiérarchie. La théorie des réincarnations avait, parmi ses conséquences, celle de présenter les papes, les rois, les juges, les seigneurs — plus tard les inquisiteurs — comme des âmes mauvaises, insuffisamment purifiées et peu avancées dans la voie du salut. Il apparaissait clairement à tous que les puissants de la terre — à moins qu'ils ne fussent devenus occasionnellement les défenseurs des Bons-hommes — appartenaient à la Cour de Satan : ils faisaient la guerre, ils tuaient les hommes et les bêtes, ils condamnaient à mort, ils jugeaient. Sans aucun doute cette hiérarchie de riches et de chefs, ces gens iniques, ne pouvaient avoir pour maître suprême que le «Prince de ce monde».

La même théorie ruinait, sur un plan tout différent, l'un des fondements du féodalisme : la valeur attribuée au sang et l'idée que les vertus et le droit de commander à autrui se transmettent de père à fils. A supposer que le sang puisse être le support de dispositions ou de caractères acquis, ce ne sont là que virtualités malignes puisque le sang a été créé par le Diable, et, à dire vrai, il ne véhicule rien de spirituel. Les âmes, selon le dualisme absolu, n'ont rien de commun avec les corps qui les emprisonnent. Tel baron a pu être serf dans une existence passée. Tel serf pourra devenir un baron dans une prochaine incarnation. Cet homme a été une femme, et cette femme a été un homme. Les différences sociales ne sont qu'illusion satanique, elles ne sont point fondées en réalité. Ainsi la première aspiration à l'égalité prenait la forme d'un mythe : elle n'en était pas moins véhémente.

La notion de *bellator*, de guerrier, sur laquelle repose le système féodal, était également remise en question. La guerre étant condamnée par le catharisme, le *miles*, dont toute la raison d'être est de la faire, se trouvait rejeté *ipso facto* dans la société du Démon.

La guerre était déshonorée en tant que telle et sous toutes ses formes : il n'y avait pas d'exception. Les diverses idéalisations que la mort héroïque a subies au Moyen Age — mort pour l'amour d'une femme, mort pour l'amour de Dieu — étaient réputées sans valeur : il est évident que les cathares ne pouvaient que s'opposer au principe même des croisades. Tandis que, pour les catholiques, la «guerre sainte» entreprise pour défendre la gloire de Dieu ou pour libérer le tombeau du Christ ennoblissait le courage, lui donnait un but digne de lui et associait par surcroît le *bellator* («celui qui combat») à l'*orator* («celui qui prie»), pour les cathares elle n'était qu'une mystification dogmatique, puisqu'ils ne croyaient pas que le Christ eût vécu réellement sur la terre ni qu'il eût été déposé dans un tombeau. Et ils la considéraient surtout comme un moyen inventé par les clercs pour exploiter les guerriers. Vers 1250, le troubadour Peire Cardenal — qui n'était point cathare, mais avait subi l'influence des théoriciens de l'hérésie et qui, d'ailleurs, fait allusion ici à la croisade contre les Albigeois — élève la première critique courageuse contre la guerre sainte : «Pourvu qu'un clerc le leur commande, dit-il ironiquement, les chevaliers iront saccager Tudelle, Le Puy et Montferrand. Les clercs jettent les chevaliers au carnage. Après qu'ils leur ont donné pain et fromage, ils les mettent là où on les crible de traits. Mais leur poitrine, à eux, ils la protègent bien contre toute lame; et la cervelle d'autrui, ils ne la plaignent point si elle se répand.»

Au XIe siècle déjà, en Champagne, le néo-manichéen Leutard voulait abolir, en même temps que la dîme, tous les droits féodaux. En Occitanie, les cathares ont rejeté l'idée de justice (humaine) qui, s'opposant à la charité, est d'essence maligne et qui, dans une société régie par Satan, ne saurait être que satanique. Ils ne reconnaissaient pas aux seigneurs le droit de rendre la justice. C'est par là qu'ils sapaient non point, comme on l'a dit, les bases de toute société, mais sans nul doute celles de la société féodale. D'une part, ils voulaient substituer à cette justice injuste l'arbitrage et la conciliation ; d'autre part, obtenir l'amendement du coupable et non point son élimination physique. Comme ils n'ont pas eu le temps de mettre en place leur système judiciaire, il est difficile de savoir en quoi il aurait consisté exactement : nous en sommes réduits à interpréter la façon dont, en Languedoc avant 1209 et à Montségur, de 1230 à 1244, ils ont essayé d'instaurer leur ordre moral. On sait, par exemple, qu'un baron coupable d'un meurtre fut simplement condamné par eux à entrer dans les ordres cathares, c'est-à-dire... à devenir un saint. A Montségur, les évêques soumettaient à leur arbitrage toutes les querelles, tous les procès qui survenaient. C'est ainsi qu'ils mirent fin aux disputes qui s'élevaient sans cesse entre les deux chefs militaires de la forteresse. Naturellement il serait imprudent de juger, sur ces quelques données, de l'esprit de leurs méthodes répressives et surtout de leur efficacité. Tout porte à croire que leur autorité morale n'aurait pas toujours suffi à empêcher le désordre, le vol et le crime, et que l'arbitrage, qui réussissait à la même époque à résoudre les conflits qui éclataient entre les divers corps de métier ou entre les communautés et les consuls, n'aurait pas été assez contraignant en matière criminelle.

Au Moyen Age, les liens de vassalité et les contrats étaient établis et validés sous serment. Or, les cathares considéraient que le respect du droit écrit, les engagements pris sur l'honneur et la vertu constituaient une garantie suffisante : ils interdisaient le serment. Sur ce point, l'évolution générale des idées allait dans le même sens que l'idéologie hétérodoxe. Outre que les barons méridionaux ne respectaient plus guère la foi jurée — ils changeaient de suzerains et de protecteurs au gré de leurs intérêts —, les simples paysans eux-mêmes considéraient le droit écrit comme beaucoup plus sûr que le serment verbal. «Avant de s'engager par serment, déclare le poète Peire Cardenal, ils réclament un contrat.» Je n'insisterai pas outre mesure sur cette question qui a beaucoup moins d'importance qu'on ne l'a dit, parce qu'il est évident que le serment — bien que la féodalité l'eût excessivement sacralisé — ne lui était pas tellement indispensable. La féodalité aurait pu se survivre en exigeant simplement le respect des contrats écrits qui, de toute façon, valaient mieux, en Languedoc, que les engagements jurés. Les serments ne leur ajoutent rien (des engagements sur l'honneur les remplacent aisément). Et l'on sait que la Révolution française l'a aboli pendant quelque temps sans dommage pour personne.

Le mariage est également une sorte de contrat qui ne tire point sa valeur du fait qu'il est un sacrement. Et il n'appartient au système féodal que dans la mesure où il se veut inégalitaire et implique la subordination de l'épouse à l'époux : le mari était, au Moyen Age, le «seigneur» de sa femme. Ne fallait-il pas que le plus humble des laboureurs eût quelqu'un à qui il pût donner des ordres? Les cathares, en souhaitant, comme la plupart des hérétiques qui les avaient précédés, que l'union conjugale fût non sacramentelle et conclue sur simple engagement mutuel dans l'égalité des droits, ne ruinaient certes pas pour autant les institutions féodales. Cependant, l'apparition de ce nouveau type d'association entre les sexes introduisait, c'est certain, un ferment de révolte contre l'ordre établi, et cela dans le temps même où le catharisme, admettant les femmes au sacerdoce, les rendait moins dépendantes des hommes. Toutes les sociétés inégalitaires ont été hostiles à l'émancipation de la femme; l'hérésie lui a généralement été favorable.

Sous l'impulsion peut-être du catharisme, on voit au XIIIe siècle les liens de dépendance changer un peu de caractère par l'introduction, dans la mythologie de l'«honneur», de la réalité capitaliste, et les relations d'employeur à employé prendre dans la société une importance presque aussi considérable que celles de suzerain à vassal. Les «échanges» féodaux, plus ou moins en rapport avec l'honneur — et l'«honneur» reposant en définitive sur les privilèges conférés par la naissance —, jouent maintenant un rôle moins important dans la vie économique que ceux qui s'établissent librement entre producteurs et consommateurs, marchands et acheteurs, prêteurs et emprunteurs. Aux droits féodaux, considérés comme sources illégitimes de revenus, s'opposent maintenant les bénéfices commerciaux, y compris ceux qui proviennent du trafic de l'argent. Et la «liberté» paraît alors coïncider pour la classe qui «monte» — celle des marchands — avec la liberté de commercer. Il semble plus juste de rétribuer le libre service d'autrui que de l'exiger en vertu d'une sorte de droit transmis par la naissance. Ainsi l'ordre des marchands commençait à s'opposer à celui des guerriers, comme l'argent à l'honneur. C'est en disculpant le prêt à intérêt, condition de tout essor économique, et en donnant meilleure conscience aux banquiers, que le catharisme prenait position contre le système féodal.

L'efficacité «progressiste» de l'hérésie s'explique cependant par un retour aux sources chrétiennes authentiques et non point, directement, par un propos révolutionnaire délibéré. L'analyse sociologique peut, certes, rendre compte des diverses applications pratiques qui furent faites, au XIIIe siècle, des idées des Bons-hommes et de leurs aspirations généreuses, mais elle ne peut pas négliger leur caractère religieux irréductible.

La condamnation de la guerre, par exemple, découle immédiatement de l'enseignement christique. L'Eglise grecque, plus fidèle à la vraie doctrine du Christ que la romaine, a toujours pensé sur ce point comme les cathares. A l'époque même où les parfaits se refusaient à combattre et à verser le sang, les historiens byzantins s'indignaient de voir les évêques occidentaux prendre part activement, physiquement, aux croisades, brandir la lance ou l'épée, servir les machines de guerre. Si les cathares étaient opposés à la féodalité en tant qu'elle reposait sur la violence — pour idéalisée qu'elle fût, par ailleurs, ou intégrée au service du Bien —, le christianisme l'était aussi, ou aurait dû l'être. Il n'y a pour les Hommes de Dieu qu'une seule façon de se battre : c'est de se sacrifier. Les cathares se sont donc bornés à tirer de la morale des Evangiles des conséquences absolues; et cela avec d'autant plus d'opportunité que les petites guerres que se faisaient entre eux les seigneurs féodaux étaient particulièrement stupides et condamnables, et que le catholicisme romain s'élevait lui-même contre cette fureur dévastatrice et essayait d'en limiter les ravages.

Il en est de même du discrédit, d'ailleurs tout théorique, jeté par les Bons-hommes sur les justices seigneuriales : il procède tout simplement du texte célèbre où saint Paul demande aux fidèles de ne point porter leurs querelles ou leurs affaires devant les tribunaux païens. «Quelqu'un parmi vous ayant un différend avec un autre chrétien ose-t-il bien plaider devant des hommes sans justice et non pas devant les saints! Si donc vous avez des différends entre vous touchant les choses de cette vie, prenez plutôt pour juges dans ces matières les moindres personnes de l'Eglise. Je vous le dis pour vous faire confusion : est-il possible qu'il ne se trouve pas un seul homme sage qui puisse être juge entre ses frères? Mais un frère plaide contre son frère et cela devant des infidèles!» (*I-Cor.*, VI, 1-6). Les cathares ne pouvaient pas ne pas faire application des préceptes de l'apôtre à la société dans laquelle ils vivaient; et c'est pourquoi ils évitaient de recourir aux tribunaux «sataniques». L'arbitrage qu'ils préconisaient s'inspire de saint Paul : «Prenez pour juges les parfaits!» L'attitude des cathares sur ce point était purement religieuse en son essence; elle marquait simplement un retour à l'intransigeance doctrinale primitive. Les religions sont toujours révolutionnaires tant qu'elles se maintiennent dans leur pureté originelle. Ce qui ne veut pas dire que, du fait des circonstances et étant donné le «moment», le rigorisme moral des cathares n'ait point pris la signification objective d'une sorte de révolte contre la société qu'ils réprouvaient.

En s'interdisant le serment, les cathares ne faisaient, ici encore, que se conformer aux principes du Christ : «Et moi, je vous dis de ne jurer en aucune sorte» (Matth., V, 33) et à la pratique de ses plus anciens disciples (Jacques, V, 12; Justin, I, Apologie, 16; Clément d'Alexandrie, *Strom.*, VII, VIII, 10; *Pédag.*, III,

11, 79). Au temps de saint Augustin, l'obligation du serment inquiétait encore maint chrétien (*Epist.* 48, 125, 126, 157). «En le repoussant, les Bons-hommes restaient simplement fidèles à la tradition chrétienne primitive.»

Dans leurs opinions touchant le mariage, les cathares n'étaient nullement hérétiques. On sait que l'institution sacramentelle du mariage ne peut pas être attribuée au Christ avec certitude. «De cette institution on ne trouve aucune trace dans l'Evangile, aucune trace convaincante dans les *Epîtres*. Le concile de Trente a reconnu cette absence de preuves scripturaires dans son court exposé de la doctrine du mariage.» Les cathares, qui respectaient scrupuleusement les textes sacrés, étaient donc parfaitement fondés à préconiser — en dehors du mariage mystique de l'âme avec l'esprit, qui est tout autre chose — l'union conjugale par consentement mutuel en présence d'un parfait; non sacramentelle, mais excluant l'intérêt et la vénalité et, surtout, impliquant l'égalité des conjoints dans l'amour partagé. Si donc le mariage que les Bons-hommes auraient voulu instituer, dans le respect des Ecritures, a pris une valeur révolutionnaire du fait qu'il affaiblissait l'autorité maritale et émancipait la femme, c'était parce qu'il correspondait aux légitimes aspirations sociales de tout le sexe féminin. Aspirations d'ailleurs bien timides : il faudra attendre sept cents ans pour voir la femme se libérer complètement de la *potestas* masculine.

Quant à la permission donnée aux croyants de pratiquer l'usure, le prêt à intérêt, le prêt commercial, c'est-à-dire de s'engager dans les voies — relativement libératrices, à cette époque-là — d'une sorte de pré-capitalisme, il est hors de doute qu'elle s'autorisait des paroles mêmes du Christ : «Serviteurs méchants et paresseux, vous deviez mettre mon argent entre les mains des banquiers, afin qu'à mon retour je retirasse avec usure ce qui est à moi» (Matth., XXV, 27) «Pourquoi donc n'avez-vous pas mis mon argent à la banque, afin qu'à mon retour je le retirasse avec intérêt?» (Luc, VI, 34). A condition que l'emprunteur fût plus riche — ou aussi riche que le prêteur, comme l'exigeait à Narbonne, à la même époque, la loi des Juifs — ou, tout au moins, qu'il fût solvable et pût payer le capital et les intérêts, cette forme de prêt n'avait rien de condamnable en soi et, au moment où le capitalisme prenait naissance, il était aussi profitable à l'emprunteur qu'au prêteur. Il devait, par conséquent, venir à l'idée des cathares de rendre licite, comme le faisait d'ailleurs l'Eglise grecque, le commerce de l'argent dans des conditions honnêtes; et, pour éliminer l'usure sordide qui vole et ruine l'emprunteur, de créer un système de prêts commerciaux qui permît aux marchands de s'enrichir en étendant leurs affaires. Les parfaits, qui ne possédaient rien en propre, souhaitaient qu'il y eût le plus possible de croyants aisés qui pussent, par leur fortune, se soustraire, dans une certaine mesure, à la tyrannie de la société féodale et de l'«honneur». Et ils considéraient avec raison qu'il n'était pas plus illogique de vendre de l'argent à ceux qui savaient s'en servir, que de vendre des épices.

C'est, en définitive, sur le plan économique que le catharisme s'est montré le plus opposé à l'esprit du féodalisme strict : il reflétait l'évolution sociale qui avait déjà diminué, en Occitanie, les prérogatives des seigneurs en dressant contre elles les intérêts bourgeois, la ville contre le château. Il a eu partie liée avec l'offensive de l'argent. Sans doute les Bons-hommes n'ont-ils jamais formulé leurs théories en cette matière. Peut-être même n'ont-ils pas toujours compris la vraie nature de l'accord qui s'établissait ainsi entre leur métaphysique et l'essor, d'ailleurs toujours entravé, du mercantilisme. Ils pratiquaient la pauvreté évangélique et ne possédaient en propre que leur écuelle. Cet idéal les libérait eux-mêmes de tout conditionnement objectif; et comme ils n'utilisaient l'argent que pour le plus grand bien d'autrui — ou de leur secte —, toutes les opérations capitalistes se trouvaient innocentées par leur désintéressement. Ils estimaient, en outre, que si la pauvreté volontairement acceptée était agréable à Dieu, il ne plaisait sûrement pas à Dieu qu'on l'imposât aux autres : elle représentait un mal pour les simples croyants qui n'étaient pas en disposition de mener une vie ascétique et qui devaient travailler pour vivre mieux. Lutter contre la domination de Satan, cela consistait pour eux à diminuer l'effet des entraves injustes que la société féodale et catholique mettait à l'activité des marchands et des bourgeois. Et, sans aucun doute, beaucoup de bourgeois, à la fin du XIIIᵉ siècle, adhéraient au catharisme parce qu'ils aspiraient à devenir, en puissance, les égaux des nobles.

Ce christianisme réformé, et par ailleurs très pur, les autorisait à revendiquer, sans tomber dans le péché, le droit ou la possibilité de commercer librement, d'emprunter de l'argent ou de placer leurs capitaux pour en retirer un revenu sûr. Et c'est par là qu'ils acquéraient un surcroît de puissance qui les rendait, dans une certaine mesure, indépendants de l'arbitraire seigneurial. Nous sommes mal renseignés sur l'activité financière de la secte, mais il est certain qu'elle recevait des dépôts et qu'elle se chargeait assez souvent de les faire fructifier. La haute spiritualité des parfaits garantissait l'exactitude de leur comptabilité : les fonds dont ils disposaient faisaient d'eux des banquiers parfaitement solvables analogues à ceux auxquels saint Jean Chrysostome recommandait de confier son argent pour en retirer une rente ; et leur charité rassurait l'emprunteur pour le cas où il eût été malgré lui dans l'impossibilité de rembourser capital et intérêts.

En ne faisant aucune différence entre le commerce de l'argent et celui de toute autre marchandise, les cathares voyaient plus juste, semble-t-il, que l'Eglise romaine qui interdisait le prêt à intérêt, assimilé par elle abusivement à l'usure sordide. Ils avaient en suspicion la propriété terrienne parce qu'elle était en principe réservée aux nobles (les seigneurs étaient les seuls vrais propriétaires de la terre) et qu'elle ressortissait à l'injustice «satanique», puisque ceux qui la travaillaient n'en étaient que les usufruitiers. Le seul travail qui fût alors rétribué avec quelque apparence de justice était celui de l'artisan et du commerçant. Quant aux revenus des droits féodaux et ecclésiastiques, ils apparaissaient déjà comme absolument injustes et non fondés en raison. Les dîmes ont toujours été impopulaires. «Ce n'est pas le Christ, disaient les Bons-hommes et, à la fin du XIIIᵉ siècle, le troubadour Peire Cardenal, qui les a établies»!

A une époque où, naturellement, il ne serait venu encore à l'idée de personne de «critiquer» la notion de profit capitaliste, comme l'a montré le romancier hongrois Gèza Hegedus dans son beau livre *Ketzer und Könige,* les bénéfices — excessifs — des marchands ne semblaient pas trop illégitimes du fait des obstacles et des dangers qui rendaient alors difficiles l'acquisition et la circulation des marchandises. Par ailleurs, l'activité mercantile ne portait atteinte ni aux intérêts ni à la liberté d'autrui. Achetait qui voulait. Non seulement le bourgeois qui faisait travailler des marchands sous ses ordres les rétribuait honnêtement, mais dans les ports, à Narbonne, par exemple, il les associait même aux bénéfices. Les parfaits qui, au nom de l'Evangile, étaient fort exacts à payer tous les services reçus, donnaient partout le bon exemple. Ce sont peut-être eux qui ont contribué le plus à répandre, avec le mythe nouveau du commerçant scrupuleusement honnête (ce mythe durera jusqu'à la guerre de 1914-1918!), la notion de rétribution libre et juste du travail si opposée en principe aux redevances et aux droits seigneuriaux. De toute façon, il semblait plus honnête, répétons-le, de faire travailler quelqu'un librement en le payant que de lui imposer charges et obligations au nom de la loi divine, car véritablement le Dieu qui a établi les droits seigneuriaux et les dîmes ne pouvait être le vrai Dieu.

Ajoutons que les circonstances, la guerre, la persécution, l'exil, ont contraint les cathares et la plupart des hérétiques du XIIIᵉ siècle à faire commerce de l'argent pour assurer leur bien-être relatif et leur sécurité, mais aussi pour accroître la puissance de leur Eglise. Les parfaits ont été pratiquement obligés de préférer les biens meubles aux immeubles. Maisons et terres étaient trop aisément repérables et saisissables, tandis que l'argent pouvait se cacher et s'exporter. Et à conditon qu'on le fît fructifier, il conservait partout sa valeur productive.

A la fin du XIIIᵉ siècle, les complots bourgeois et consulaires, ourdis à Carcassonne, Limoux, Castres, Albi, contre l'Inquisition, montrent clairement que si les spirituels condamnaient son fanatisme et ses cruautés pour des raisons purement morales, les marchands et les banquiers essayaient, eux, de l'abattre pour défendre leurs intérêts. Au début du XIVᵉ siècle, ils seront les meilleurs soutiens du catharisme. L'Eglise était pour eux l'ennemie, parce qu'elle contribuait à maintenir le système économique féodal dans lequel elle demeurait insérée — ne fût-ce que d'une façon négative, en s'opposant à la lente ascension de leur nouvelle classe pour qui la richesse était symbole de liberté, parce qu'elle diminuait la distance qui les séparait des seigneurs et leur donnait même, à la longue, accès à la noblesse.

Il est intéressant de constater que dans des villes très commerçantes comme Narbonne, où le catharisme n'a jamais beaucoup pénétré, il s'est produit à diverses époques des mouvements «spirituels» analogues, appuyés par les consuls, et qui aboutissaient toujours, en fait, à protéger les intérêts économiques des bourgeois et des marchands.

Faut-il en conclure que le catharisme n'a été qu'une sorte d'épiphénomène par rapport à l'évolution sociale de l'époque? Non pas, certes; mais tout simplement que le «retour aux sources» voulu par les «purs» a été, comme toujours, utilisé par les «impurs» au mieux de leurs avantages matériels et dans les limites d'une fatalité tenant à la conjoncture et au moment. Sans l'adaptation au social que les bourgeois lui ont fait subir, le catharisme n'aurait disposé que de faibles moyens d'implantation et de diffusion. Il serait vite retombé à la chimère, et il n'eût fourni à l'histoire de la spiritualité que quelques saints ou quelques initiés de plus.

La réhabilitation de l'usure, selon l'esprit de saint Matthieu et de saint Luc, parce qu'elle portait, d'une façon encore bien timide, il est vrai, l'avenir du capitalisme, a valu aux Bons-hommes plus d'adhérents efficaces que leurs théories métaphysiques. Philippe le Bel donnera finalement raison aux cathares en autorisant, en 1311, le créancier à exiger au-delà du principal qui lui était dû un intérêt compensatoire du prêt. L'intérêt était de quatre deniers par mois, ou quatre sous par an, pour une livre. Cela faisait 20 pour 100 par année, que l'on réduisait à 15 pour 100 pendant la période des foires de Champagne pour permettre précisément aux marchands de faire de gros achats. Philippe le Bel avait fort bien compris la différence que saint Matthieu, saint Jean Chrysostome, les Juifs de Narbonne et les cathares avaient établie, avec raison, entre l'usure sordide et le prêt commercial.

Nous voyons bien ce que le catharisme tendait à affaiblir ou à détruire, mais nous ne savons pas par quoi, exactement, il l'aurait remplacé. En bien des points les réformes qu'il préconisait nous semblent utopiques ou prématurées. Le mariage non sacramentel, par exemple, n'a été pratiqué qu'à l'époque où l'hérésie était nettement en décadence (fin du XIIIe siècle), ou peut-être, plus tôt, à Montségur, de 1230 à 1244. Il est probable que l'Eglise cathare eût prévu une sorte de mariage civil ayant pour témoin l'évêque ou le parfait. Mais l'évolution de la mentalité masculine n'était pas arrivée au point où un mariage vraiment égalitaire eût été possible, puisqu'il ne l'est devenu, en France, que depuis quelques années seulement.

On est frappé de constater, cependant, que tout ce dont le catharisme avait rêvé a fini par se réaliser. Il voulait libérer la femme, elle est aujourd'hui complètement émancipée. Il condamnait la guerre, les massacres et les meurtres... et n'a pas réussi à les supprimer ; mais du moins la conscience des meilleurs l'approuve et essaie désespérément de faire en sorte qu'il ait eu raison. On est surpris de voir sa vieille ennemie, l'Eglise romaine, s'accommoder présentement de ce qu'elle lui a tant reproché au XIIIe siècle, et même de propositions cent fois plus hérétiques que les siennes. Il faut être aveugle pour ne pas reconnaître que l'Eglise catholique aurait grand besoin aujourd'hui de faire une cure de catharisme ! L'ordre féodal a été abattu au XVIIIe siècle avec cinq cents ans de retard : M. Jourdain a tenu en 1789 le pari engagé par les bourgeois occitans du XIIIe siècle.

Que doit-on en déduire ? Que le catharisme fait partie de ces mouvements hétérodoxes qui, de quelque façon, et d'abord dans l'idéal, préfigurent toujours une évolution sociale libératrice. Il y a une sorte d'harmonie préétablie entre les révolutions spirituelles et les autres. Car c'est le propre des idéologies «pures» de devancer toujours leur époque : elles se projettent dans l'absolu et rien ne gêne leurs visées théoriques. C'est parce qu'elles se savent condamnées dans le présent qu'elles incarnent librement une certaine forme de vérité future. Tandis que les grandes religions se fossilisent, s'incrustent dans l'ordre social et politique du moment et s'obstinent à le maintenir alors même qu'il est dépassé, les hérésies minoritaires et persécutées sauvegardent mieux les idées généreuses, c'est-à-dire celles qui correspondent à l'avenir en marche. Il est inévitable que le mouvement de l'économie s'accroche à elles pour prendre conscience de lui-même, pour se penser, pour avancer. Quand un ordre injuste, ou plutôt inadéquat, est sur le point de disparaître, le présent qui le refuse se pare toujours, d'abord, d'idéalisme religieux. Pour les cathares, la justice seigneuriale, les droits féodaux, le mariage autoritaire, tout cela, c'était le Mal, c'était Satan. Le Bien, c'était la liberté — qui passait alors par la liberté bourgeoise —, le respect de la personne humaine, l'épanouissement de la femme. Les cathares n'étaient-ils pas dans le vrai ? Satan incarnait pour eux un ordre condamné, le passé : cet ordre n'a-t-il pas été, en fait, condamné par l'Histoire ?

L'épopée cathare vue par les contemporains.
Poésies et légendes

Les circonstances voulurent qu'en Languedoc, au lieu de rester clandestine comme en d'autres pays où la persécution et le malheur ne firent que des victimes isolées, l'hérésie se désoccultât et entraînât tout un peuple dans la guerre. Le catharisme — c'est là un phénomène surprenant — avait su gagner à sa cause presque toutes les classes de la société. Les paysans espéraient qu'il les affranchirait des dîmes ; les bourgeois et les marchands, qu'il instaurerait un ordre économique nouveau où ils pourraient s'enrichir en faisant fructifier l'argent : tout cela semblait aller contre les principes de la féodalité et tendait sans aucun doute, mais à longue échéance, à l'affaiblir. Mais paradoxalement les féodaux des pays d'oc furent amenés par la force des choses — comme cela se produisit également en Bosnie au temps du Ban Kulin — à défendre le catharisme pour sauvegarder leurs droits et leurs biens. Il en résulta un véritable génocide où les aristocrates furent aussi durement frappés que les bourgeois et les gens du peuple. La langue d'oc, la poésie et la civilisation d'Amor ne survécurent pas à ce désastre.

On a souvent fait le récit des événements politiques et militaires qui se sont succédé de 1209 à la fin du XIIIe siècle : je ne les rapporterai ici que dans la mesure où ils aident à comprendre le mouvement des idées, et en les illustrant d'«images» empruntées aux poètes et écrivains contemporains. L'intérêt de l'histoire de la croisade ne tient-il pas, en grande partie, à ce qu'elle s'arrange comme d'elle-même en une sorte de poème épique dont la structure dramatisée, les péripéties contrastées, les coups de théâtre agissent puissamment, encore aujourd'hui, sur l'imagination et la sensibilité ?

Au début du XIIIe siècle, le comte de Toulouse, Raimon VI, assez favorable au catharisme, qui depuis quelques années s'était répandu dans ses Etats, se montrait peu disposé à le réprimer. La croisade pacifique organisée par l'Eglise, la prédication de saint Dominique avaient complètement échoué ; et la papauté reprochait au comte et aux autres barons occitans de n'avoir pas appuyé, autant qu'il l'aurait fallu, l'effort qu'elle avait entrepris pour combattre l'hérésie. Et quoiqu'il fût très prudent et très désireux de ménager l'Eglise, Raimon VI, déjà suspect à plus d'un titre et excommunié, était en posture d'accusé. Le légat du pape, Pierre de Castelnau, fut chargé de le morigéner et de le ramener, si possible, à plus d'obéissance. Les rapports entre les deux hommes durent être assez orageux. Le 15 janvier 1208, le légat fut assassiné comme il s'apprêtait à passer le Rhône : on accusa le comte de Toulouse d'avoir armé le bras du meurtrier.

Dès lors, les dés étaient jetés, et dans l'esprit du pape, qui ressentit vivement l'injure qui venait de lui être faite, la croisade militaire était déjà décidée : elle allait succéder à la croisade pacifique.

Raimon VI, effrayé, pensa que le moment était venu de se soumettre. A Saint-Gilles il fit amende honorable devant le légat Milon et son excommunication fut levée. Il promit tout ce qu'on voulut et même de prendre part en personne à la croisade qui allait être dirigée contre ses propres vassaux. Il n'était peut-être pas fâché de détourner ainsi contre son neveu, Raimon-Roger Trencavel, vicomte de Béziers et de Carcassonne, la guerre qu'il redoutait. Il l'avait vainement engagé, en 1208, à signer avec lui un traité de défense commune. Mais ce jeune chevalier, âgé de vingt-quatre ans seulement en 1209 et que les contemporains nous décrivent comme généreux et hardi, s'y était refusé : il aspirait à se débarrasser de la tutelle de Toulouse. En 1201, il n'avait pas hésité à conclure avec le comte de Foix une alliance offensive contre Raimon VI. Et déjà, dans un *sirventès* datant de 1204 ou 1205, le troubadour Cadenet, partisan du comte, l'avait mis en garde contre l'esprit d'aventure et contre tout changement de politique : «Un preux est à plaindre, lui disait-il, quand il change de conduite.» En réalité, la plupart des barons qui dirigeaient en fait la vicomté appartenaient au parti antitoulousain et, forts de l'appui que leur promettait le roi d'Aragon, leur véritable souverain et leur protecteur naturel, ils envisageaient volontiers de partir en guerre contre Toulouse. C'est contre l'Eglise romaine qu'ils durent combattre.

La croisade fut prêchée aussitôt dans la France du Nord et y obtint grand succès. C'était une excellente affaire que Raymond de Salvagnac, riche marchand de Cahors, accepta de financer. L'armée se réunit à Lyon et descendit vers l'Occitanie en suivant la vallée du Rhône. Le 22 juillet, elle était devant Béziers d'où le vicomte Trencavel venait de se retirer en emmenant avec lui tous les Juifs de la ville, qui avaient tout à redouter de l'antisémitisme de l'Eglise et des barons.

Le sac de Béziers.

«Les habitants voient que les croisés accourent, que le roi des ribauds va envahir la ville, que les truands sautent de toutes parts dans les fossés, mettent en pièces les murailles et ouvrent les portes, tandis que les Français de l'ost s'arment en toute hâte. Ils savent bien en leur cœur qu'ils ne pourront résister et s'enfuient au plus vite au moutier principal [la cathédrale Saint-Nazaire]. Les prêtres et les clercs revêtent leurs ornements sacerdotaux et font sonner les cloches comme s'ils voulaient dire une «messe des morts», pour ensevelir un défunt. Un moment vint enfin où on ne put plus s'opposer à l'entrée des truands; ils s'emparent à leur gré des maisons, car chacun, s'il le veut, peut bien en choisir dix. Bouillants de colère, les ribauds n'ont point peur de mourir; ils égorgent tout ce qu'ils trouvent et se saisissent de grandes richesses. S'ils peuvent conserver ce qu'ils ont pris, ils seront riches à tout jamais. Mais bientôt il leur faudra l'abandonner, bien qu'ils aient conquis tout cela par eux-mêmes, car les barons de France voudront se l'approprier.»

Ce massacre de sept ou huit mille bons chrétiens (catholiques et cathares) qui eut lieu dans l'église de la Madeleine de Béziers et dont Arnaut Amalric, abbé de Cîteaux, légat du pape Innocent III, fut le promoteur détesté, n'était pas tout à fait, quoi qu'on en ait dit, «dans les mœurs de l'époque». C'était même une forme de terrorisme assez nouvelle. En 1226 il soulevait encore l'indignation du troubadour Guilhem Figueira qui a écrit dans son célèbre *sirventès* contre Rome : «Vous portez, Rome, un bien vilain chapeau [une coiffure infamante], vous et Cîteaux, qui fîtes faire à Béziers une si affreuse boucherie (*mout estranh mazel!*)»

Le 1er août, les croisés assiègent Carcassonne. En vain le roi Pierre d'Aragon essaie-t-il de s'entremettre pour faire obtenir à son vassal des conditions de paix acceptables. Les croisés exigèrent la capitulation pure et simple. «Et il repartit tristement, dit *la Chanson de la Croisade*, mécontent de lui-même et plein de soucis à cause du tour qu'il voyait que prenait l'affaire.»

«On était au fort de l'été. La chaleur était accablante. L'odeur infecte que répandaient les malades, les blessés, mêlée à celle du nombreux bétail amené de tous côtés et qu'on avait égorgé, empuantissait l'air. D'innombrables mouches tourmentaient les mourants (et propageaient, croyait-on, une sorte de peste). On entendait les grands cris poussés par les femmes et les enfants, dont toutes les maisons étaient encombrées. Jamais les assiégés n'avaient enduré de leur vie souffrances pareilles. Quand l'eau commença à manquer — les puits étaient presque taris — , le découragement et le désespoir s'emparèrent des chevaliers eux-mêmes.»

Alors le jeune vicomte — celui que le troubadour Raimon de Miraval appelait naguère *Pastoret* (le petit berger) — accepta, dans des circonstances qui sont restées obscures, d'aller parlementer avec les croisés. Il reçut, semble-t-il, un sauf-conduit et, avec une petite escorte, se rendit à l'entrevue. Sous les regards curieux des Français et des Bourguignons, il entra dans la tente du comte de Nevers. Il n'en ressortit pas. Le témoignage de *la Chanson de la Croisade* est formel : «Il se livra en otage de son plein gré.» Et le poète ajoute même : «Il agit comme un fou, à mon avis lorsqu'il se constitua ainsi prisonnier.» Aussitôt que Simon de Montfort fut devenu le véritable chef de la croisade et qu'il eut reçu, à titre d'abord précaire, l'investiture de la vicomté, il se hâta de faire emprisonner l'otage dans une tour de son propre château, où il ne tarda pas à mourir du «mal de dysenterie» (10 novembre 1209).

Tout le monde, en pays occitan, soupçonna Montfort de l'avoir fait empoisonner. Une *razo* (commentaire) d'un poème d'Arnaut de Mareuil dit en parlant de lui : «Le vicomte de Béziers que les Français tuèrent quand ils l'eurent pris à Carcassonne.» Et le jongleur dauphinois Guilhem Augier, qui nous a laissé sur sa mort un *planh* (élégie) dont l'accent de sincérité nous touche encore («Mille chevaliers de grand lignage, s'écrie-t-il, et mille dames de grande valeur seront par sa mort plongés dans le désespoir!») semble avoir cru, lui aussi, que le vicomte s'était sacrifié pour le salut de son peuple, puisqu'il n'hésite pas à le comparer à Jésus-Christ : «Ils l'ont tué, dit-il, et jamais nul ne vit commettre un tel crime, une telle folie, ni faire chose si déplaisante à Dieu et à Notre-Seigneur, comme ont fait ces chiens rénégats du félon lignage de Pilate, qui l'on tué. Puisque Dieu, lui aussi, a reçu la mort pour sauver les hommes, que là où il est il comble de biens celui qui est passé par le même pont pour sauver les siens.»

Il y a sans doute un peu d'exagération à comparer Trencavel à Jésus-Christ. Mais cet hommage excessif vaut mieux, à tout prendre, que le silence indifférent, voire haineux auquel les admirateurs attardés de Simon de Montfort vouent quelquefois le malheureux vicomte. Pierre Belperron, qui passe pourtant pour n'être pas très favorable aux Méridionaux du XIIIe siècle, lui a rendu justice dans le même esprit que l'avait fait Guilhem Augier. «Les croisés, écrit-il, partageaient l'horreur du populaire pour les hérétiques et, comme dira l'un d'eux, étaient venus en Languedoc pour les perdre. Si l'on considère l'attitude ultérieure des croisés, le sacrifice de Raimon-Roger peut seul expliquer cette anomalie (qu'ils n'aient point massacré les hérétiques à Carcassonne).»

De 1209 à 1211, Simon de Montfort poursuivit méthodiquement la conquête de la vicomté de Carcassonne, s'emparant de Montréal, de Castres, de Pamiers, d'Albi, de Minerve, de Termes, de Cabaret, de Lavaur, montrant partout la même cruauté, se servant partout de la terreur comme d'une arme de guerre. A Lavaur (3 mai 1211), il fit pendre Aimeric de Montréal et jeter dans un puits sa sœur Guiraude. «Je ne crois pas, dit le poète de *la Chanson de la Croisade*, que jamais dans toute la chrétienté il y ait eu si haut baron pendu, et tant de chevaliers avec lui, car rien que parmi les chevaliers on en compta plus de quatre-vingts. Quant aux habitants de la ville, on en réunit jusqu'à quatre cents dans un pré où ils furent brûlés. En outre, dame Guiraude fut jetée dans un puits et couverte de pierres par les croisés. Ce fut un malheur et un crime, car personne au monde, sachez-le véritablement, ne se serait éloigné de cette dame sans en avoir reçu de quoi manger à satiété... Ce fut à la Sainte-Croix de mai que Lavaur fut ruiné de la manière que je vous ai conté.»

Pendant ces deux années, Simon de Montfort connut peu d'échecs, sauf vers la fin de 1209 où ses troupes et celles du duc Eudes de Bourgogne furent battues devant les tours de Cabaret. Mais en 1211, Pierre-Rogier qui en était le seigneur, voyant que son château était le seul qui résistât encore, le remit à Simon de Montfort en échange de fiefs équivalents situés en plaine.

C'est alors que le comte de Toulouse, toujours prudent et toujours ennemi de la guerre, jugea bon de se se rendre auprès du pape et de faire sa soumission. Il livra son palais — le «château narbonnais» — aux croisés, et sa ville fut pratiquement occupée. L'abbé de Cîteaux et l'évêque de Toulouse, Folquet de Marseille, l'ancien troubadour, y multiplièrent les prédications sans grand succès. C'est de ce Folquet que, selon *la Chanson de la Croisade*, le comte de Foix aurait dit au concile de Latran : «Quand il fut élu évêque de Toulouse, un tel feu se répandit dans toute la terre que jamais aucune eau ne pourra l'éteindre, car à plus de cinq cent mille grands et petits il a fait perdre la vie, les corps et l'âme. Par la foi que je vous dois, à ses actes, à ses paroles, à son attitude, il semble qu'il soit plutôt l'antéchrist que le messager de Rome... Avec ses chansons mensongères, aux paroles insinuantes, qui sont la perte de tout homme qui les chante ou les dit, avec ses sentences affilées et polies, avec nos présents, grâce auxquels il se fit jongleur [le plus piquant de l'histoire, c'est que l'évêque, au temps où il était troubadour, a dû, en effet, chanter devant la cour de Foix et recevoir du comte, pour prix de ses services, de nombreux cadeaux !], enfin, avec sa mauvaise doctrine, il est devenu si orgueilleux qu'on n'ose rien dire à ce qu'il vous oppose... »

Dante, plus indulgent que le comte de Foix, a placé l'évêque, au demeurant excellent poète, dans son *Paradis*, au «Ciel de Vénus» où, dans un long discours, il fait une brève mention du feu ardent qui le brûla, «tant que l'âge le lui permit»...

Les chevaliers de Toulouse, mais aussi les bourgeois et le peuple, exaspérés par les tracasseries cléricales et les vexations francimandes, se soulevèrent un beau matin. Le pacifique comte fut entraîné dans la guerre malgré lui. Il se mit en campagne sans grand enthousiasme. Je ne raconterai pas en détail ces opérations militaires assez confuses et peu glorieuses pour le camp occitan. Raimon VI réussit à enfermer Simon de Montfort dans Castelnaudary. Il y eut des combats incertains. On fit de part et d'autre des prodiges de valeur, inutiles ; et finalement Raimon, vaincu, leva le siège.

Dans les rangs de l'armée méridionale figurait un grand seigneur, troubadour à ses heures, Savari de Mauléon, que Pierre des Vaux de Cernay qualifie de «très méchant apostat et fils du diable en iniquité, de ministre de l'antéchrist surpassant tous les autres hérétiques et pire que tous les infidèles, d'ennemi de Jésus-Christ», etc. En réalité, ce Savari de Mauléon avait fait mine en deux ou trois occasions de combattre Simon de Montfort, mais rien ne prouve qu'il eût jamais adhéré à l'hérésie. Bon politique, poète aimable, il ne s'intéressait vraisemblablement qu'à la diplomatie, à la guerre et aux femmes.

Il était sénéchal d'Aquitaine pour le roi d'Angleterre. Il est probable qu'un succès décisif des Toulousains eût déterminé le roi anglais à intervenir dans le conflit d'une façon plus directe. Peut-être le destin de l'Occitanie s'est-il joué dans ces journées de Castelnaudary, où le comte de Foix montra tant de vaillance et où Raimon VI fit si piètre figure... La galanterie ne perdait pas ses droits pour autant. On dit que Savari de Mauléon n'était entré dans la bagarre que par esprit chevaleresque et pour plaire à la comtesse Eléonore de Toulouse. «Cinq cents d'entre nous, lui écrivit-il, n'attendent que vos ordres. Un signe de vous et nous voilà sur nos destriers!».

Dans les mois qui suivirent, Simon de Montfort, moins amoureusement et plus positivement, après avoir occupé Montferrand et Les Cassés, s'empara aussi, sans que Raimon VI eût mis beaucoup d'énergie à les défendre, des places d'Hautpoul, de Saint-Antonin-de-Rouergue, de Penne-d'Agenais, de Moissac et de presque tout le pays de Comminges. La situation de Raimon VI paraissait désespérée. Il ne lui restait en 1212 que Toulouse et Montauban.

Pierre d'Aragon

On dirait que dans cette guerre le Diable s'est complu à multiplier les coups de théâtre. La situation se renversa brusquement. Le roi Pierre d'Aragon, vainqueur des Maures à Las Navas de Tolosa, s'était toujours considéré comme le véritable suzerain de la vicomté de Carcassonne et il ne se résignait pas à voir son autorité s'affaiblir dans cette partie du Languedoc. La présence des Français à proximité de ses frontières et dans des villes et seigneuries sur lesquelles il avait des droits lui causait quelque inquiétude, d'autant plus que Simon de Montfort ne semblait nullement disposé à lui rendre hommage pour les vicomtés Trencavel, comme il aurait dû le faire selon le strict droit féodal. Enfin, les liens familiaux qui l'unissaient à Raimon VI — l'une de ses sœurs était mariée à Raimon VI et l'autre, Sancie, au jeune Raimon

VII —, peut-être aussi un traité secret d'assistance mutuelle signé à l'occasion de ces mariages lui faisaient une obligation de porter secours à son beau-frère

Les troubadours occitans, dans leurs acerbes *sirventès*, ne manquaient pas de lui rappeler qu'en la circonstance il y allait encore plus de sa gloire et de son prestige que de ses intérêts politiques. Ils n'hésitaient pas à lui reprocher son inertie, voire sa lâcheté. Un poète anonyme — peut-être Raimon de Miraval — feint de s'adresser ainsi à son jongleur Hugonet : « Va, Hugonet, sans balancer au franc roi aragonais ; chante-lui un nouveau *sirventès* · dis-lui qu'il se fait trop attendre, qu'on le regarde déjà comme failli. On dit que voilà longtemps que les Français occupent comme ils veulent sa terre qu'il ne sait pas défendre, et puisque là-bas il a tant conquis sur les Maures, qu'il se souvienne également de ses vassaux de par ici. Dis-lui que sa valeur, qui est déjà si grande sera triplée quand nous le verrons en Carcassés recueillir comme un bon roi les rentes qui lui sont dues [...]. Et si l'on veut l'en empêcher, qu'il n'hésite pas à faire paraître son ressentiment, qu'il triomphe par la force et le sang et que les engins de guerre tirent si serré qu'aucune muraille n'y puisse résister ! [...] Puissions-nous bientôt voir aux prises les Français et nous, pour savoir qui aura le prix de chevalerie ! Comme le bon droit est pour nous je crois que la perte sera pour eux... »
Pierre d'Aragon se laissa convaincre, moins, sans doute par les arguments des troubadours que par ceux de ses légistes. Il entama aussitôt une action diplomatique très habile et très ferme auprès du pape Innocent III. Ses ambassadeurs manœuvrèrent si adroitement, produisirent des raisons si persuasives que le pape en fut troublé. Et voici qu'il envoie à Amaury une lettre sévère où il lui ordonne de s'entendre avec le roi d'Aragon pour pacifier enfin le Languedoc et « de cesser de prêcher la croisade contre l'hérésie en se servant des indulgences que le siège apostolique avait promises autrefois pour cet objet ». Dans le même temps il adressait à Simon de Montfort une lettre non moins désagréable et réproba-

trice, qui ne laissa pas de stupéfier tout le monde, mais surtout les Français : «Vous avez tourné, lui disait-il, les armes des croisés contre des peuples catholiques; vous avez répandu le sang des innocents et envahi, au préjudice de l'illustre roi d'Aragon, les terres des comtes de Foix et de Comminges, et celles de Gaston de Béarn, tandis que le roi, leur maître, faisait la guerre, lui, contre les sarrasins [...] Craignez, ajoutait-il, qu'en retenant injustement les domaines que vous avez envahis, on ne dise que vous avez travaillé pour votre propre avantage et non pour la cause de la foi. »

Si l'on ne savait qu'une certaine forme de versatilité a caractérisé les âmes du Moyen Age et qu'une autre, plus subtile, a toujours passé pour vertu chez les grands politiques, on serait en droit d'affirmer, comme le faisait d'ailleurs Raimon VI, que ce monde-ci, créé par le Diable, n'obéit qu'au hasard. Les croisés voyaient déjà tout perdu, Simon de Montfort ne décolérait pas. Pourtant les évêques et les Français se ressaisirent vite. Sur l'ordre du pape, un concile fut convoqué à Lavaur, «sans souci, dit plaisamment Belperron, des ombres de dame Guiraude, des quatre-vingts chevaliers égorgés et des parfaits brûlés en mai 1211». En principe, le comte de Toulouse devait être appelé à s'y disculper. Mais on vit tout de suite que le Diable avait déjà changé d'humeur. Le pape, du moins, n'était plus dans les mêmes sentiments à l'égard du roi. Visiblement les évêques l'avaient fait revenir sur sa première décision. L'Eglise avait juré la perte de la dynastie raimondine et le concile ne tint plus aucun compte des arguments mis en avant par les ambassadeurs du roi Pierre pour innocenter sinon Raimon VI, du moins son fils, le futur Raimon VII : «Le comte de Toulouse, dirent les évêques, s'est rendu par ses menées indigne de tout pardon. Son fils Raimon VII doit suivre le même sort que lui. Tel père, tel fils. Les comtes de Foix, de Béziers, de Comminges, ainsi que Gaston de Béarn sont bel et bien hérétiques : ils ont protégé les Bons-hommes et combattu à la tête de leurs armées les soldats du Christ : ils se sont retranchés eux-mêmes de la communauté chrétienne...» Bref, le concile de Lavaur, animé des plus vilaines intentions à l'endroit de Pierre d'Aragon, refusa d'excuser Raimon VI et ne lui laissa même pas la possibilité de se racheter à l'avenir. Le monarque fut irrité et blessé de n'avoir pas trouvé auprès des membres du concile la considération, sinon la déférence, qu'en tant que «roi très chrétien» il était en droit d'attendre d'eux. Les circonstances et l'ironie du destin l'obligeaient maintenant à faire figure de «patarin», puisque ses vassaux, dont il avait pris si courageusement la défense, étaient accusés de l'être.

Depuis quelques semaines déjà, le chevalier de Scala. lieutenant du roi, résidait à Toulouse avec un corps de troupes. On ne voyait partout dans la ville que barons catalans s'entretenant avec les bourgeois, faisant la cour aux dames. Le roi lui-même passa quelques jours au château comtal. Toulouse devenait aragonaise et Raimon VI se disait peut-être qu'elle n'avait fait que changer d'occupants... Mais tout valait mieux que les Français !

Simon de Montfort et le clergé déléguèrent bien deux abbés à Pierre d'Aragon pour lui notifier les ordres du pape. Il les paya de bonnes paroles, bien décidé, cette fois, à n'en faire qu'à sa tête et à agir vite. Après avoir fait un bref séjour en Provence, il rentra à Barcelone et y réunit son armée.

Il pénétra en Occitanie par la Gascogne et parut bientôt à Toulouse aux acclamations de tout le peuple. Il était le libérateur. Nul ne doutait de la victoire.

La bataille de Muret

Le 12 septembre eut lieu la bataille de Muret. Le roi, qui avait beaucoup chevauché, était très fatigué. On raconte, mais c'est sûrement une calomnie inventée par les catholiques, qu'il avait passé la nuit avec sa maîtresse et qu'il pouvait à peine se tenir à cheval. En réalité, il croyait aux vertus de l'enthousiasme et que la bravoure suffisait à tout.

Le choc eut lieu dans la plaine de Muret, herbeuse et,

par endroits, miroitante d'eaux vives, contre l'avis du prudent Raimon VI qui, fidèle à la tactique romaine, eût voulu construire un camp et repousser l'ennemi à coups de flèches : on railla sa pusillanimité et il resta boudeur... Ce fut une mêlée de chevaliers où les Aragonais se montrèrent valeureux et téméraires dans un désordre indescriptible. «Chaque baron voulait livrer son propre combat sans ordre ni tactique» (P. Belperron) dans le tumulte et le vacarme. «Le fracas des armes était tel qu'on eût dit que c'était une forêt qui tombait sous une multitude de coups de hache» (Guillaume de Puylaurens). Les Français, plus disciplinés, surent utiliser beaucoup mieux les écuyers et les sergents qui accompagnaient alors les chevaliers. Leurs rangs serrés eurent vite raison de la bravoure des gens du comte de Foix et de l'impétuosité de la chevalerie aragonaise. Le génie militaire de Simon de Montfort fit le reste. Le roi Pierre d'Aragon fut victime d'une sorte d'assassinat. Deux meurtriers héroïques, les chevaliers français Alain de Roucy et Florent de Ville, avaient fait serment de tuer le roi — le traître ! — ou de mourir. La fortune est souvent favorable à de tels hommes prêts à payer de leur propre mort celle de leurs ennemis. Ils se frayèrent un chemin à grands coups d'épée et cherchèrent le roi au milieu de sa garde. Celui-ci, selon un usage suivi alors par les souverains, avait échangé la veille avec un de ses chevaliers son équipement contre le sien, de sorte que les Français tombèrent d'abord sur son remplaçant et le tuèrent facilement. «Ce n'est pas le roi, aurait dit Alain de Roucy, le roi est meilleur chevalier !» Pierre, entendant cela, se serait alors écrié : «Le roi, le voici !» Il abattit un chevalier français et succomba ensuite sous les coups de ses deux agresseurs. Les barons aragonais — dont Michel de Lusian — avaient fait l'impossible pour protéger leur souverain en le couvrant de leurs corps : ils se firent tuer sur place. Uc de Mataplana, protecteur des troubadours et troubadour lui-même, fut ramené à Toulouse, grièvement blessé.

«Grands furent le désastre, le deuil et la perte, quand le roi d'Aragon demeura mort tout sanglant, ainsi que beaucoup d'autres barons ; et l'opprobre fut grand pour toute la chrétienté et pour tout le genre humain. Les gens de Toulouse, pleins de tristesse et de douleur, ceux qui avaient pu s'échapper et n'étaient pas restés sur le lieu du combat, rentrèrent à Toulouse, à l'abri des murailles » (*la Chanson de la Croisade*).

Raimon de Toulouse et son fils quittèrent preque aussitôt leur capitale. Dans les jours qui suivirent, Simon de Montfort poursuivit ses conquêtes, s'emparant de l'Agenais, du Périgord sud et du Rouergue (1214). D'avril à octobre 1215, Louis de France l'aida à point nommé en venant faire une petite croisade personnelle de quarante jours. De retour à Paris, il conta sans doute à son père comment Simon de Montfort avait su se pousser et s'enrichir. Mais Simon ne laissa pas pour autant de mettre la main sur la ville de Foix et sur la quasi totalité du comté de Toulouse (1215). C'est alors que le pape Innocent III convoqua à Rome un concile général d'arbitrage : le concile de Latran (novembre 1215) où le compte de Foix plaida vainement sa cause et celle du comte de Toulouse :

« Seigneur pape, mon plein droit me justifie, ainsi que ma loyale droiture et ma bonne intention ; et si l'on me juge selon justice, je suis sauf et garanti, vu que jamais je n'aimai hérétiques ni croyants. Au contraire, je me suis rendu, donné et offert à l'abbaye de Boulbonne, où j'ai été bien accueilli, où tout mon lignage s'est donné et fait ensevelir. Quant au Puy de Montségur, le droit qui le concerne est clair. Jamais, même un jour, je n'en fus seigneur souverain. Et si ma sœur fut méchante femme et pécheresse, je ne dois point périr à cause de son péché à elle [...]. Quant à l'évêque (Folquet de Toulouse), qui en cette affaire est si acharné, je vous dis qu'en sa personne Dieu et nous sommes trahis. »

Le pape répondit très aimablement au comte de Foix :

« Comte, tu as fort bien exposé ton droit, mais tu as un peu diminué le nôtre. Je saurai ton droit et la valeur de tes sentiments. Et si ta cause est juste, quand j'en aurai eu la preuve, tu recouvreras ton château tel que tu l'as livré. Et si la sainte Eglise te condamne, tu dois trouver

grâce pourvu que Dieu t'ait inspiré le repentir. Tout
pécheur mauvais, perdu et enchaîné par le péché, doit
vraiment être reçu par l'Eglise quand elle le trouve en
mortel péril d'âme, s'il s'est repenti de bon cœur et s'il
fait ce qu'elle lui ordonne. »

Nouveau sourire du Diable : nouveau coup de théâtre!
Raimon VI est à Gênes où son fils, «le jeune comte»
(Raimon VII), le rejoint. Tous deux rentrent dans leurs
domaines de Provence (mars 1216) et Marseille et Avignon leur font une réception enthousiaste. Les voici sur
la route d'Avignon :
    «Les barons se mirent à chevaucher, deux à deux, par
les plaines herbeuses et ils pensaient aux armes et aux
armures, et messire Gui de Cavaillon, du haut de son
cheval roux, dit au jeune comte : Voici venu le temps où
Parage a grand besoin que vous soyez mauvais et bon.
Car le comte de Montfort qui détruit les barons, l'Eglise
de Rome, la prédication font que Parage reste honni et
vergogneux. Ils l'ont tellement renversé de haut en bas
que s'il n'est relevé par vous, il est éclipsé à tout jamais.
Si Prix et Parage ne sont restaurés par vous, Parage est
mort et tout le monde en vous. Et puisque vous êtes le
véritable espoir de tout Parage, ou Parage entier mourra,
ou vous, montrez-vous preux! — Gui, dit le jeune
comte, j'ai le cœur joyeux de ce que vous m'avez dit, et
je vous ferai brève réponse. Si Jésus me sauve, moi et
mes compagnons, et me rend Toulouse que tant je
désire, jamais Parage ne sera besogneux ni honni. Car il
n'y a en ce monde aucun homme assez puissant pour me
détruire, si ce n'était l'Eglise. Et si grand est mon droit et
ma raison, que si j'ai ennemis mauvais et orgueilleux, à
celui qui me sera léopard, moi je serai lion.
    «Ils devisent d'armes, d'amour et de présents jusqu'au
moment où le soir tombe et où Avignon les reçoit.
Quand le bruit de leur arrivée s'est répandu par la ville, il
n'y a vieillard ni jouvenceau qui n'accoure tout joyeux
par toutes les rues en sortant des maisons. Il se tient pour
fortuné celui qui peut courir le mieux! Les uns crient :
Toulouse! en l'honneur du père et du fils, et les autres :

Joie! Désormais, Dieu sera avec nous. D'un cœur résolu et les yeux mouillés de larmes tous viennent s'agenouiller devant le comte et tous ensemble disent : Christ, Seigneur glorieux, donnez-nous le pouvoir et la force de leur rendre, à tous deux, leur héritage! — Si grande est la presse et la procession qu'il faut recourir aux menaces, aux verges, aux bâtons.

«Le dimanche matin est récitée la formule pour recevoir le serment et les engagements envers le comte. Alors une des parties dit à l'autre : Seigneur légitime et bien aimé, ne craignez ni de donner ni de dépenser! Nous vous donnerons l'argent et nous vous dévouerons nos personnes jusqu'à ce que vous recouvriez votre terre ou que nous mourions avec vous. — Seigneurs, dit le comte, belle en sera la récompense, car vous en aurez bien plus de pouvoir et sur Dieu et sur nous-mêmes!»

«Rien n'est si touchant, dans *la Chanson de la Croisade*, a écrit Simone Weil, que cet endroit où la cité libre d'Avignon se soumet volontairement au comte de Toulouse, vaincu, dépouillé de ses terres, dépourvu de toutes ressources, à peu près réduit à la mendicité... Peut-on imaginer pour des hommes libres une manière plus généreuse de se donner un maître? Cette générosité fait voir à quel point l'esprit chevaleresque avait imprégné toute la population des villes.»

1216. Simon de Montfort est maintenant obligé de combattre sur deux fronts. Les événements vont se précipiter. Tandis que Raimon VI part pour l'Espagne afin d'y lever une armée, le jeune comte assiège Beaucaire avec l'aide des Marseillais.

«Car ceux de Marseille viennent avec grande allégresse. Au milieu des eaux du Rhône chantent les rameurs. Bien à l'avant sont les pilotes qui règlent les voiles, les archers et les nautoniers. Les cors, les trompes, les cymbales et les tambours font résonner et mugir le rivage dans l'aurore. Les écus et les lances, et le flot qui court, l'azur et le vermeil, le vert avec la blancheur, l'or fin et l'argent se mêlent à l'éclat du soleil et de l'eau, car voici que la brume s'est dissipée. Par terre, Sire Ancelmet et ses chevaliers chevauchent en grande joie à la brillante lumière du jour, sur leurs chevaux garnis de housses, oriflamme en tête. De toutes parts les meilleurs crient : Toulouse! en l'honneur du noble fils du comte qui recouvre son domaine. Et ils entrent dans Beaucaire.»

La prise de Beaucaire porta un rude coup au prestige de Simon de Montfort, que jusque-là on avait cru invincible.

Juillet-août 1216 : Toulouse se révolte. Simon de Montfort dévaste une partie de la ville, mais ne peut s'en rendre maître.

1217 : il va combattre en Provence contre le jeune comte, mais dans le même temps Raimon VI fait son entrée dans Toulouse libérée.

«Les habitants, les notables et le menu peuple, les barons, les dames, les femmes et les maris s'agenouillent devant lui et lui baisent les vêtements, les pieds, les jambes, les bras, les doigts... et l'un dit à l'autre : «Maintenant nous avons Jésus-Christ, l'astre lumineux, l'étoile qui est venue briller pour nous. C'est là notre seigneur, qui jusqu'à présent était perdu. Aussi Prix et Parage, qui étaient ensevelis, revivent, restaurés, guéris et sauvés!» (*la Chanson de la Croisade*).

1218. Simon de Montfort, battu en Provence revient en toute hâte en Languedoc. Il marche sur Toulouse qu'il assiège, mais il ne peut empêcher le jeune comte d'y entrer à son tour : ce ne sont partout, pour les Français, que mauvais présages :

«Du plus haut créneau de la tour du pont, que les croisés avaient conquis d'abord, leur enseigne tomba dans l'eau et le lion de Montfort chut sur la grève... Les cloches et les clochettes qu'agitent les sonneurs font retentir la ville, l'eau et la grève. Et dans cette joie, cinq mille sergents et écuyers sortent de l'intérieur et vont occuper les places vers l'armée assiégeante, eux prompts à courir et légers. Ils crient à haute voix : Ici, Robin ; Ici Gautier !

[nom français employés par dérision]. A mort! à mort les Français et les porte-bourdon! Nous avons doublé les points de l'échiquier, car Dieu nous a rendu le chef et l'héritier, le vaillant jeune comte qui nous apporte la flamme!»

Les choses allaient de plus en plus mal pour le conquérant, qui voyait mourir ses plus fidèles compagnons.

«Sire comte de Montfort, bien sombre paraît votre fortune. Vous souffrirez aujourd'hui grand dommage pour être si dévot! Car les hommes de Toulouse ont tué vos chevaliers, vos compagnies et vos meilleurs soudoyers; Guillaume Thomas, Garnier et Simon du Caire y sont morts; Gautier est blessé...»

Et voici que Gui, le frère de Simon de Montfort, est tué à son tour. «Le comte s'approche de son frère bien-aimé, met pied à terre et lui dit ces paroles impies : Beau frère, Dieu nous a pris en haine, moi et mes compagnons, et il protège les routiers; aussi pour cette blessure, me ferai-je moine hospitalier!»

25 juin 1218 : mort de Simon de Montfort

Tandis que Gui, blessé à mort, gémit et agonise, les engins de guerre des Toulousains ne cessent de tirer.

«Il y avait dans la ville une pierrière que fit un charpentier. Du chantier de Saint-Sernin furent extraits pour elle la pierre et aussi le bois de sorbier. Et c'étaient des dames, des jeunes filles et des femmes qui la servaient. Et la pierre lancée vint tout droit où il fallait et frappa le comte Simon sur son heaume d'acier, de sorte qu'elle fit voler en éclats les yeux, la cervelle, les molaires, le front et les mâchoires...

«Tout droit à Carcassonne ils le portent pour l'ensevelir [...]. Et on dit sur l'épitaphe, pour celui qui sait bien lire, qu'il est saint, qu'il est martyr, qu'il doit ressusciter, avoir part à l'héritage céleste et fleurir dans la félicité merveilleuse, porter la couronne et siéger dans le royaume de Dieu.

«Et moi j'ai ouï dire qu'il en doit être ainsi : Si, pour tuer des hommes et répandre le sang, pour perdre des âmes, pour consentir à des meurtres, pour croire des conseils pervers, pour allumer des incendies, pour détruire des barons, pour honnir Parage, pour prendre des terres par violence, pour laisser libre cours à l'orgueil, pour attiser le Mal et éteindre le Bien, pour tuer des femmes, égorger des enfants, on peut en ce monde conquérir Jésus-Christ, il doit porter l'auréole et resplendir dans le ciel. Et veuille le Fils de la Vierge qui fait agréer les justes au Père, qui a donné sa chair et son sang précieux pour détruire Orgueil, veiller sur Raison et Droiture qui sont en passe de périr, et qu'entre les deux partis il fasse luire le Droit ! »

(la Chanson de la Croisade).

Massacre de Marmande

Juin 1219. Le moment était venu pour la monarchie française de se substituer à Amaury de Montfort qui avait succédé à son père sans en avoir les talents et qui subissait, dit-on, l'influence moralisatrice d'un parfait cathare qu'il voyait quelquefois. Le prince Louis, fils de Philippe Auguste, était impatient de mettre un terme aux succès de Raimon VII qui venait de battre les Français à Baziège et ailleurs. Avec son armée forte de vingt évêques, de 600 chevaliers et de 10 000 archers, il rejoignit donc Amaury à Marmande. La ville, assiégée, se rendit et tous ses habitants, avec les femmes et les petits enfants, furent massacrés jusqu'au nombre de 5 000.

«Même en faisant la part de l'exagération habituelle du poète [de *la Chanson*] et de la tendance des chroniqueurs à forcer leurs chiffres, il n'en reste pas moins, écrit Pierre Belperron, que la population de Marmande fut massacrée, sinon en totalité, au moins en grande partie sans qu'il y eût pour ce massacre, comme pour celui de Béziers, l'excuse des ribauds et d'une ville prise d'assaut. Qui doit en porter la responsabilité ? Vraisemblablement les hommes d'Amaury, désireux de venger la mort de

Simon de Montfort et de punir la défection de la ville en en faisant un exemple. Les autres croisés, s'ils n'y ont pas pris part, n'ont même pas songé à s'opposer au massacre.» Pas plus d'ailleurs, ajouterai-je, que les vingt évêques.

Le prince Louis et Amaury de Montfort se présentèrent devant Toulouse le 16 juin 1219.

C'était le troisième siège que cette malheureuse ville allait avoir à subir. Au cours de la croisade, disent les chroniqueurs, Dieu fit beaucoup de miracles en faveur de Simon de Montfort. Soyons juste et reconnaissons qu'en cette occurrence il daigna aussi en faire un pour Raimon VII : le Français ne put s'emparer de la ville. Ce fut «un désolant échec», comme dira le pape Honorius III. Le 1er août, «arguant que sa quarantaine est terminée, il lève le siège si précipitamment qu'il abandonne ses machines, dont les assiégés font un feu de joie».

Le destin se montrait décidément plus favorable aux comtes toulousains qu'il ne l'avait jamais été. Ils avaient recouvré toutes leurs possessions. Et le Languedoc se trouvait — les ruines et les destructions en plus — à peu près dans la même situation qu'en 1208. Le massacre de tant d'innocents semblait avoir été parfaitement inutile. Les parfaits recommençaient leurs prédications : on assistait même à une résurrection du catharisme. Amaury de Montfort, abandonné de presque tous ses chevaliers, dépourvu de ressources et criblé de dettes, dut se résigner à évacuer Carcassonne où le jeune Trencavel, le fils du vicomte assassiné en 1209, rentra et s'installa peu de temps après.

La conquête royale

La croisade féodale est terminée. Les principaux personnages des premiers actes de la tragédie sont morts ou ont disparu de la scène politique : Philippe Auguste, Raimon VI, le comte de Foix. Nous approchons du dénouement. La conquête royale va commencer.

Avant de quitter le Midi, Amaury de Montfort avait fait abandon de tous ses droits à Louis VIII. Celui-ci ne va pas laisser échapper l'occasion de les faire valoir. Et la campagne ne sera pas, comme celle de 1215, une simple tournée ou un pèlerinage : elle durera de 1224 à 1226.

Le roi ne rencontra pas de résistances sérieuses, sauf à Avignon dont il s'empara (septembre 1226) après un siège en règle. Pour asseoir définitivement la domination française en Provence et en Languedoc, il établit deux sénéchaussées, l'une à Beaucaire, l'autre à Carcassonne. Il est probable qu'il aurait essayé, l'année suivante, de soumettre Toulouse, et il y serait sûrement parvenu. Mais Dieu, ou le Diable, protégeait encore le comte par intermittence, et pas pour très longtemps. Le roi tomba malade et il mourut à Montpensier, en Auvergne.

Raimon VII, bien que sa situation ne fût pas absolument désespérée, comprit qu'il ne pourrait plus résister, désormais, à la formidable puissance de la monarchie française : on se ralliait au roi, on courait au-devant de la victoire. Villes et châteaux échappaient au comte de Toulouse. Ses domaines étant à nouveau réduits à Toulouse et à quelques lambeaux de territoire accrochés à la ville, il envisagea de faire sa soumission. Il y eut une assemblée à Meaux (1228-1229) où furent arrêtés les préliminaires du traité de paix que le comte signa avec Louis IX, à Paris, le 12 août 1229, devant Notre-Dame.

Raimon conservait Toulouse et une partie du Languedoc, mais il était stipulé qu'après lui ses biens passeraient à sa fille Jeanne, qui devait épouser Alphonse de Poitiers, frère du roi. Déjà la domination française s'implantait à Toulouse. Déjà la culture occitane commençait — lentement — à reculer dans tout le Languedoc «où la noblesse autochtone avait été en grande partie remplacée par des immigrés ignorant ou dédaignant la langue du pays» (A. Janroy). Une université, la seconde du royaume, allait être établie à Toulouse. L'Inquisition, naturellement, y fonctionnait déjà.

«Tout le jour, écrivit à cette occasion, ou peu de temps après, le troubadour Sicard de Marvejols, tout le jour je m'irrite, et la nuit, que je dorme ou que je veille, je ne cesse de soupirer. De quelque côté que je tourne, j'entends des gens trop courtois saluer humblement les Français du nom de «Sire». Oui, les Français ont pitié de nous quand ils nous voient les mains pleines, car ils ne connaissent d'autre loi que celle-là. Hélas! Toulouse, Provence, Terre d'Argence [Beaucaire], de Béziers et de Carcassonne, quelles je vous vis, et quelles je vous vois!»

Les années qui s'étendent de 1229 à 1249 (date de la mort du comte) sont marquées par les efforts que firent Raimon VII pour tourner, éluder ou annuler les conséquences désastreuses du traité de «Meaux-Paris», et les populations méridionales pour continuer à pratiquer la religion cathare en dépit de l'Inquisition. Mais le comte ne connaîtra guère que des échecs.

Il essaya d'abord de reprendre la Provence ou tout au moins d'y maintenir ses droits : elle lui échappa définitivement et échut à Charles d'Anjou, frère de Louis IX. En 1240 éclata prématurément, et peut-être sans que Raimon VII l'eût souhaitée, la révolte de Trencavel, fils de Raimon-Roger, lequel, parti d'Espagne avec quelques chevaliers «faidits» et un corps de routiers, obtint d'abord de petits succès dans son ancienne vicomté, mais échoua devant Carcassonne qu'il ne put reprendre. Et il fit peu de temps après sa soumission au roi.

Montségur

Montségur résistait toujours. Quand on le sommait d'exécuter les clauses du traité de Meaux concernant la répression de l'hérésie, Raimon VII faisait mine de le vouloir réduire, mais il se gardait bien d'être vainqueur, car il aurait fallu rendre au roi cette place qui, le cas échéant, lui aurait permis de rester en liaison avec le comte de Foix. Tous les croyants avaient les yeux fixés sur Montségur, symbole de la résistance religieuse et politique. A l'abri de ses murailles, le clergé cathare maintenait toujours intacts la foi et les rites et continuait à veiller sur les intérêts spirituels et matériels de la secte.

C'est de Montségur que partit, le 23 mai 1242, l'expédition punitive qui massacra à Avignonet, où ils étaient de passage, les Inquisiteurs de Toulouse, le dominicain Guillaume Arnaud et le franciscain Etienne de Saint-Thibéry, ainsi que leurs adjoints et assesseurs. Cette opération sanguinaire devait préluder à l'insurrection générale de tout le Languedoc : elle en était peut-être le signal. De fait, Raimon VII et les barons méridionaux, alliés au roi d'Angleterre Henri III et au comte de La Marche, et assurés de l'appui — d'ailleurs plus moral qu'effectif — des rois de Navarre, d'Aragon, et même de l'empereur Frédéric II, entrèrent presque aussitôt en lutte ouverte contre la France. Mais les Anglais furent battus à Taillebourg et les principaux alliés se découragèrent avant même d'avoir combattu. Raimon VII, le comte de Foix et le vicomte de Narbonne demandèrent la paix sans plus attendre.

C'est ainsi que toutes les tentatives militaires faites par le comte pour se soustraire aux clauses humiliantes du traité de Meaux tournèrent à son désavantage et constituèrent autant d'échecs. Il en fut de même de sa politique matrimoniale. Raimon VII, qui n'avait pas de fils, pensait, avec raison sans doute, qu'un héritier légitime et de son sang aurait plus de chances de supplanter — en dépit du traité — les enfants qui pourraient naître éventuellement de Jeanne et d'Alphonse de Poitiers. C'est pourquoi il répudia sa femme, Sancie d'Aragon, dans le dessein d'épouser une autre Sancie, la fille du comte Raimon-Béranger de Provence. Mais les négociations avec la papauté traînèrent en longueur et Sancie, singulièrement impatiente, préféra se marier tout de suite avec le frère du roi d'Angleterre, Richard. Sans se décourager, Raimon VII se tourna alors vers la fille du comte de La Marche, antifrançais notoire et son ancien allié. Il épousa donc Marguerite de La Marche. Mais il se ravisa, répudia cette pauvre femme (d'autant plus facilement que, faute de dispense, le mariage n'avait pas été consommé) et reporta ses visées sur la dernière fille du comte de Provence, Béatrice. Il bénéficiait, en cette affaire, de l'appui de Jacques d'Aragon. Mais la Cour de France veillait. Raimon VII fut évincé sans qu'on eût consulté la belle, et elle fut adjugée à Charles d'Anjou qui était déjà sur les lieux avec une armée.

Il était donc écrit dans les astres que Raimon VII mourrait sans enfant mâle et que ses domaines reviendraient à la couronne de France. Il mourut en 1249. En 1258 et 1259, l'Aragon, puis l'Angleterre, renoncent à leurs prétentions sur le Midi. A la mort de la comtesse Jeanne et du comte Alphonse de Poitiers, le roi de France devient comte de Toulouse. Il gouvernera directement le pays avec quatre sénéchaux.

Le bûcher de Montségur

Le catharisme ne s'éteignit pas tout de suite. Jusqu'en 1244, date de la chute de Montségur, il se maintint actif et vigilant. Nombre de croyants, grâce au dévouement des derniers parfaits clandestins, purent recevoir à leur lit de mort le *consolamentum* qui sauvait leurs âmes. Dans les villes, à Toulouse notamment, l'opposition à l'Inquisition dégénérait parfois en émeutes dans les quartiers populaires : on répondait au terrorisme par le terrorisme. Dans la «Cité» bourgeoise, les hôtels des notables abritaient des colloques nocturnes où l'on conspirait contre les Français et contre l'Eglise. Il existait des réseaux de résistance organisée qui s'efforçaient, à la ville comme à la campagne, d'assurer l'essentiel du culte cathare, de protéger les victimes de l'Inquisition en favorisant leur départ pour la Lombardie, de tirer vengeance des traîtres et des délateurs.

Montségur semble avoir joué un grand rôle dans cette lutte de tous les jours menée contre l'Inquisition. On se rendait au château pour échapper à ses sbires; on s'y rendait aussi pour mourir en Dieu.

Depuis le meurtre des Inquisiteurs d'Avignonet, la destruction de ce repaire d'hérétiques, que défendaient énergiquement Pierre-Roger de Mirepoix et ses chevaliers, était réclamée par l'Eglise et par le roi. Mais on ne pouvait guère compter sur Raimon VII pour cette besogne. En mars 1243, Hugues d'Arcis, sénéchal de Carcassonne, reçut l'ordre d'en finir avec la «Tête du

Dragon». Une armée se mit en marche vers Montségur, flanquée de deux redoutables ecclésiastiques : Pierre Amiel, archevêque de Narbonne, et Durand, évêque d'Albi, lequel était spécialisé dans la construction des machines de guerre. Leurs troupes encerclèrent la montagne de Montségur.

Pendant quelques mois, pourtant, la forteresse ne fut pas complètement bloquée. Elle recevait des vivres, des armes, des nouvelles de France et d'Italie, des messages du comte. De son château tout voisin, Bernard d'Alion envoya même quelques routiers catalans au secours des assiégés. Ce Bernard d'Alion, d'abord très hostile aux hérétiques, avait épousé en 1235 la fille du comte de Foix, Esclarmonde, qui était peut-être croyante et qui finit par rendre son mari plus favorable aux victimes de l'Inquisition. C'est d'elle sans doute que le troubadour Montahagol, ennemi farouche des Français et des prêcheurs, a écrit : «Dame Esclarmonde, votre nom est si précieux et si beau qu'il suffit d'y penser pour être à l'abri du Mal pendant toute la journée [...]. Que Dieu protège et conserve Esclarmonde dont le nom dit, si on sait l'entendre, qu'elle est nette et pure de toute folie!»

Cependant le siège durait toujours. De grandes illusions entretenaient l'espoir, stimulaient le courage des chevaliers enfermés dans la place. Le bruit se répandit un jour — Raimon VII avait contribué à le répandre — que l'empereur Frédéric II, l'Antéchrist en personne (pour les Romains!) allait venir délivrer les assiégés. Il était peu vraisemblable que le grand empereur entreprît un raid sur Montségur. Mais, à vrai dire, il aurait suffi qu'il exerçât une pression du côté de la Provence pour que tout le Languedoc se soulevât une fois de plus. Raimon VII avait été l'allié de Frédéric en 1240, puis l'avait abandonné en 1241. Mais dans la conjoncture actuelle, c'est-à-dire vers 1243, Frédéric s'était à nouveau rapproché du comte de Toulouse, et il lui avait rendu le marquisat de Provence et de Venaissin. Cela avait éveillé de grands espoirs dans l'âme des Méridionaux et l'on s'attendait, dans les milieux antifrançais, à une intervention armée de l'empereur. Ce qui le prouve, c'est que

dans un de ses *sirventès,* le troubadour Uc de Saint-Circ
— francophile pour la circonstance — croit devoir mettre
en garde l'Eglise et le roi de France contre ses menées
agressives. Il va jusqu'à leur conseiller de prendre les
devants et de diriger contre Frédéric une véritable croisade pour le dépouiller de ses Etats. «Car quiconque ne
croit pas en Dieu, ajoute-t-il, ne doit pas régner.» Tous
ces propos, en vérité, devaient inciter les cathares à se
montrer aussi dévoués à l'empereur et aussi «gibelins»
que les patarins de Florence. Uc de Saint-Circ ne dévoi-
lait-il pas que Frédéric avait promis aux Anglais «qu'il
leur rendrait la Bretagne, l'Anjou, la Guyenne, etc., et
qu'il vengerait le Toulousain et Béziers, et le pays de
Carcassonne»?

Il n'est pas impossible que le *sirventès* de Uc de Saint-
Circ soit parvenu à Montségur — les chansons des troubadours se répandaient très vite — ou que les parfaits
aient su ce qu'il contenait avant même que Raimon VII
ne le leur eût fait connaître par ses émissaires.

Mais Frédéric II ne vint pas délivrer Montségur ni
venger Carcassonne et Béziers. Et quand les assiégeants
eurent réussi à s'emparer d'un petit fortin qui donnait de
l'air à la place du côté de l'est et permettait à ses défenseurs de recevoir des nouvelles de l'extérieur et leur
ration de rêves et d'illusions, Montségur capitula. Pierre
Roger de Mirepoix avait réussi, cependant, peu de temps
avant la reddition, à sauver le trésor de l'Eglise cathare…

Deux cents hérétiques furent brûlés le 1er ou le 2 mars
1244. «Parmi eux était Bertrand Marti, qu'ils avaient fait
leur évêque; et tous ayant refusé de se convertir comme
on les y invitait, ils furent enfermés dans une clôture faite
de pals et de pieux et, brûlés là, ils passèrent du feu du
supplice au feu du Tartare». *(Guillaume de Puylaurens)*

Au nombre de ces martyrs étaient la vieille marquesa de
Lantar, sa fille Corba de Péreille et sa petite-fille Esclarmonde Péreille.

Cette même année 1244, les cathares de Florence
étaient également envoyés «aux flammes du Tartare».

Après la chute de Montségur et celle de Quéribus, dans les Corbières, dernière forteresse cathare (1255), le catharisme s'engagea dans deux voies divergentes. Dans les villes, il se transforma en une sorte de parti politique, de parti «gibelin», si l'on veut, groupant des notables, des bourgeois, des banquiers, souvent les consuls, souvent aussi des clercs romains. Bons catholiques en principe, ces personnages influents et considérés n'avaient tous qu'un but : celui de se débarrasser par tous les moyens de l'Inquisition dominicaine, quitte à réclamer — ou à feindre de réclamer — le rétablissement de l'Inquisition épiscopale, beaucoup moins injuste et tyrannique. Entre-temps, ils ne manquaient pas d'attirer l'attention du roi sur le danger que faisait courir à l'économie du pays la fuite des capitaux et de la main-d'œuvre vers la Lombardie. Et il s'en fallut de peu que Philippe le Bel, vers 1305, ne fît droit à leur requête. Mais des émeutes vinrent tout gâter.

A Carcassonne, en 1285, les bourgeois et les consuls avaient tenté de s'emparer des registres de l'Inquisition où étaient inscrits les noms de leurs concitoyens suspects d'hérésie. L'instigateur du complot n'était autre que Sans Morlane, chanoine de la cathédrale Saint-Nazaire et procureur épiscopal du diocèse. Le complot échoua, mais les chefs de la conjuration demeurèrent impunis. L'Inquisiteur ne put pas obtenir du pape la condamnation de Sans Morlane, dont l'appartenance au catharisme ne faisait pourtant pas de doute.

Il est évident que la plupart de ces «hérétiques» de la fin du XIIIe siècle étaient simplement des chrétiens réformistes ou d'honnêtes gens que révoltaient l'intolérance et le fanatisme. C'est l'horreur de l'Inquisition qui les poussa — lorsqu'ils virent que le roi n'était point disposé à les soustraire à la terreur qu'elle faisait planer sur eux — à lutter aussi contre la domination française. On sait qu'en 1304 les bourgeois de Carcassonne et de Limoux, exaspérés, allèrent jusqu'à proposer à Fernand, infant de Majorque, de lui remettre le gouvernement de la vicomté de Carcassonne, comme en 1275 le vicomte de

Narbonne et ses frères avaient osé faire appel à la Castille pour libérer leur ville.

Tandis que dans quelques villes le «parti cathare» disposait encore d'hommes éclairés et probes, dans les campagnes les parfaits n'étaient plus là pour porter la bonne parole. Beaucoup avaient émigré en Lombardie et ceux qui restaient n'avaient plus la culture et la sagesse de leurs prédécesseurs : ils répandaient une doctrine déformée, abâtardie, souvent puérile. Le pasteur Autier, dans le comté de Foix, avait bien réussi à rendre au catharisme, vers 1300, son vrai visage et même un regain de vitalité, mais ce ne fut qu'une flambée. Et l'on voit, après lui, le dernier Bon-homme, Bélibaste, mêler à la doctrine traditionnelle, plus ou moins bien comprise, des interprétations personnelles qui la discréditaient ou la rendaient insoutenable. La croyance en l'éternité du monde, l'idée que l'âme n'était elle-même que matière, la négation du libre arbitre, le recul de Dieu dans sa transcendance infinie qui le rendait absolument étranger à ce monde-ci, tout cela engageait les simples à ne plus prêter attention qu'à la matière et au visible, et à composer avec le Diable pour n'être point trop malheureux. On était matérialiste ou bien on était sorcier. Les purs spirituels devenaient rares.

Il ne restait dans les cœurs que la haine — fort explicable — de Rome et de l'Inquisition. On continuait à attendre la venue du Grand Monarque qui abattrait l'une et l'autre. Après avoir cru en Frédéric II, l'ennemi juré de la papauté, on espérait maintenant en un autre Frédéric, le fils de Pierre d'Aragon, le roi de Sicile. Les prophéties qui circulaient en Italie, chez les patarins, étaient arrivées jusqu'aux croyants du comté de Foix. Vers l'an 1305, l'hérétique Dolcinus, de Novare, disciple de Segarelli de Parme, avait eu la révélation que «ce nouveau Frédéric deviendrait empereur; qu'il instituerait dix rois en Italie, mettrait à mort le pape, les cardinaux, les prélats de Rome, et tous les religieux, excepté ceux qui viendraient se joindre à sa secte; et qu'enfin lui, Dolcinus, serait placé sur le siège du bienheureux saint Pierre». Bélibaste connaissait cette prophétie — ce qui prouve qu'il était bien renseigné sur ce qui se passait en Italie — et il la répétait à ses derniers fidèles, en la déformant beaucoup et en y mêlant des prédictions d'origine apocalyptique concernant les temps «où les peuples se dresseraient contre les peuples», les royaumes contre les royaumes, et où ce serait «la guerre de tous contre tous». «Il devait venir, disait-il, un roi de la race des rois d'Aragon — le souvenir du roi Pierre tué à Muret restait toujours très vivace — qui donnerait à manger à son cheval sur l'autel de Rome. Alors l'Eglise romaine serait abaissée et l'Eglise cathare exaltée, et ses ministres honorés partout». Et Guilhelma Maurine qui écoutait cela, lui dit : «Quand cela arrivera-t-il, Seigneur? — Quand Dieu voudra», lui répondit l'hérétique.

Mais ni Bélibaste, le dernier parfait, ni les pauvres exilés qui l'écoutaient à Morella (Espagne) ne virent l'accomplissement de cette prophétie vengeresse. Bélibaste fut arrêté en 1321 et brûlé à Villerouge-Termenès (Aude).

Un christianisme rénové.
Une mode intransigeante

Nous ne savons pas exactement de quelles doctrines religieuses plus anciennes procède le catharisme occidental ni dans quelle mesure il a conjugué leurs divers apports pour en faire une synthèse originale. Sur le plan purement moral, il n'est pas douteux qu'il ne s'inscrive dans un mouvement beaucoup plus vaste de retour à l'évangélisme primitif : il a voulu être le véritable christianisme des Apôtres. C'est pourquoi il est explicable en grande partie par le christianisme lui-même : l'*Evangile* de Jean, beaucoup de passages de l'*Ancien Testament,* bien des propositions de saint Paul peuvent être interprétés facilement dans le sens dualiste ; et les cathares ne manquent jamais de les citer comme preuves de la vérité de leur propre doctrine.

Sur le plan philosophique, le catharisme est un dualisme ; et avant même de citer les diverses origines possibles du phénomène, il faut essayer de définir ce dualisme, terme assez vague et qui comprend plus d'une nuance doctrinale.

Le grand problème qui semble avoir engendré la tentation dualiste — et qui a aussi toujours constitué la pierre d'achoppement de tous les théologiens — est le problème du Mal. On peut ainsi résumer la question, l'angoisse devrait-on dire aussi : comment un Dieu bon, un Dieu d'amour a-t-il pu permettre l'existence du Mal ?

Tout l'effort des théologiens a généralement visé à concilier l'idée d'un créateur parfait avec la réalité d'un monde mauvais. Certains ont voulu carrément ôter à Dieu la responsabilité du péché ; Dieu a créé l'univers parfait, à son image : c'est le paradis ; mais il a donné à l'homme le libre arbitre, et c'est l'homme qui, se révoltant contre son créateur, a choisi le Mal. Cette conception résiste difficilement à l'analyse, car elle s'oppose à la notion d'un Dieu tout-puissant et omniscient. En effet, en octroyant le libre arbitre à sa créature, Dieu devait savoir l'usage qu'elle en ferait, ce qui revient à dire qu'il a sciemment produit un monde mauvais : nous débouchons sur une contradiction insoluble — ou alors, c'est que Dieu n'est pas bon. Retenons cette idée : nous la retrouverons, quoique sous une forme différente.

D'autres théologiens ont tenté de tourner la difficulté en escamotant le Mal : le Mal n'existe pas. Il n'y a qu'un Bien relatif ; toute la création est entraînée dans un vaste processus ascendant qui la conduit progressivement au Bien suprême ; quand nous parlons du Mal, il s'agit en réalité d'étapes intermédiaires...

Cette vision peut être intellectuellement séduisante. Elle n'empêche pas, et n'explique pas, dans toute sa douloureuse acuité, l'existence de la souffrance sous ses formes les plus monstrueuses. Comment assimiler à « un moindre bien », ou à quelque « étape intermédiaire », toutes les horreurs dont regorge l'histoire humaine, tortures, génocides, viols, etc. ?

Alors les dualistes, eux, proposent une autre solution, peut-être choquante à première vue, sûrement difficile à admettre pour des esprits qui ont baigné dans l'idée d'un Dieu unique, créateur de toutes choses, mais du moins, reconnaissons-le, rigoureusement logique. Ce n'est plus le Dieu parfaitement pur et bon qui a fabriqué cet univers rempli de turpitudes et de souillures. L'Amour n'engendre que l'Amour. La haine ne peut être conçue que par la haine, et c'est bien le Mal qui a créé le Mal.

En d'autres termes, au commencement des temps, il n'y avait pas une, mais deux divinités ; un Dieu absolument bon, qui a créé tout ce que l'univers recèle d'Amour, de pureté, de Bien ; et un Dieu absolument mauvais, à qui doit être imputé tout le Mal qui est dans l'univers. Ces deux créations contradictoires se sont mélangées pour produire le monde tel que nous le connaissons et, plus particulièrement, l'humanité.

Dans cette perspective, il va sans dire que le destin spirituel de l'homme consiste à éliminer la création mauvaise qui est en lui, pour se consacrer, s'identifier entièrement au Bien.

Tel est le point de départ. Mais de cette conception de base vont procéder plusieurs doctrines qu'on peut rattacher à deux grands courants : le « dualisme absolu » et le « dualisme mitigé ».

Cette pensée, qui constituera l'essence même du

catharisme, se trouve déjà en germe chez certains penseurs chrétiens, et même chez les plus officiels, tels que saint Augustin ou d'autres, moins célèbres, comme Origène ou Lactance. En fait, on peut affirmer que ces philosophes ont caressé toutes les idées qui, poussées jusqu'à leurs plus extrêmes conséquences, ont plus tard suggéré aux cathares leur théorie des deux principes antagonistes, des deux divinités, du Bien et du Mal.

Le grand problème, pour les dualistes, est de savoir si les deux principes créateurs sont égaux en valeur et en puissance. C'est ici qu'intervient la différence essentielle entre le dualisme de mode cathare et le manichéisme.

Pour les cathares, le Bien n'est susceptible d'aucun changement. Il est immuable — «semblable au Père». Le Mal, en revanche, est sujet à l'instabilité, à la corruption (voire à la matérialisation, puisque les mauvais esprits forniquent avec les filles des hommes). L'un ne peut faire que le Bien. L'autre a le funeste don de la liberté — image morale du changement; et déjà saint Augustin affirme que dans la créature le libre arbitre se tourne toujours vers le Mal : la vraie perfection ne consiste-t-elle pas à être absolument libéré du Mal et non à «pouvoir» le faire?

Les deux principes sont donc d'essence fondamentalement différente. Mais ils ont, pour les cathares, un point commun : ils sont tous deux esprits, alors que, pour l'ancien manichéisme, le principe du Mal était surtout matière, bestialité monstrueuse, désordre absolu, hasard aveugle.

Il est à vrai dire excessivement difficile de rattacher le catharisme à des doctrines ou des mouvements antérieurs précis. Nous pouvons tout au plus déceler, dans tel ou tel courant, des éléments, ou plutôt des tendances qui préfigurent le catharisme. Il s'agit de mouvements généralement fort peu connus, parce que très limités dans l'espace et dans le temps.

On trouve ainsi des conceptions nettement dualistes en Espagne, entre 370 et 380, chez les priscilliens. Plus importants sont les bogomiles de Bulgarie — nous aurons à revenir sur leur cas. Cependant, les sources les plus évidentes du catharisme (quoique sans doute moins exclusives et moins directes qu'on a pu le dire) restent les gnoses juives et chrétiennes, ainsi que, dans une large mesure, le manichéisme ancien dont la démarche fondamentale est identique, en dépit des conclusions assez différentes.

Le catharisme peut être considéré comme une gnose, puisqu'il prétend libérer les âmes par une connaissance totale (surtout celle du Bien et du Mal); et puis le catharisme a développé un contenu ésotérique, face aux formules traditionnelles du christianisme : ses commentaires du *Pater* sont tout à fait révélateurs à cet égard.

Par ailleurs, il y a d'incontestables similitudes entre la doctrine proposée par Mani quant à la création du Mal et le point de vue cathare. Mais cette rencontre idéologique ne suffit pas à prouver que le catharisme procède directement du manichéisme. De toute façon, nous ignorons à peu près tout de la véritable pensée des premiers mouvements dualistes — ou néomanichéens — apparus en France et en Europe occidentale vers le XIe siècle. Les hérétiques brûlés à Orléans, en 1022, étaient-ils vraiment dualistes et, s'ils l'étaient, leurs croyances préfiguraient-elles celles des cathares occitans de 1209 ?

On a souvent parlé de filiation entre cathares et manichéens, par l'intermédiaire des bogomiles bulgares et, antérieurement, des pauliciens qui firent leur apparition dans l'Empire byzantin, aux VIIIe et Xe siècles. Citons parmi les premières sectes dualistes généralement rattachées au manichéisme : les *phoundaïtes*, les *koudougères*, les *babounis*, les *pophles*, et les *bougres*. Des cathares aux bogomiles et des bogomiles aux pauliciens, la parenté semble assez indiscutable. Mais bien plus que par le manichéisme les premiers courants dualistes occidentaux ont été inspirés par la tradition chrétienne primitive, elle-même souvent teintée, en Orient, de zoroastrisme et de gnosticisme.

Pourtant, dès que le catharisme a paru, ses adversaires l'ont assimilé, non sans quelque apparence de raison, à un manichéisme, et même très exactement au manichéisme de Mani, qui, à l'époque de saint Augustin, était encore très puissant dans certaines régions de l'Empire romain, notamment en Afrique. Il n'y a aucune raison pour ne pas donner comme cause à l'apparition en Occitanie et ailleurs de divers mouvements hérétiques, la persistance d'anciens foyers manichéens (cette religion est signalée en 355 dans le sud de la Gaule, en Aquitaine, puis en Espagne, à la fin du IVe siècle). Il est certain que des chrétiens «manichéens» se sont maintenus en Provence jusqu'à une époque assez tardive. Le troubadour Raimon Féraut nous apprend, dans la *Vie de saint Honorat* — inspirée d'un original latin : *Vita sancti Honorati* que nous possédons — que Girart de Vienne, fils de Nayme, soutenait en ce temps-là les manichéens d'Arles contre les fidèles de saint Honorat qui était devenu archevêque de cette ville. Il envoya une armée qui chassa saint Honorat et installa à sa place le manichéen Sévi. Mais le roi de France, ayant appris la chose, accourut avec ses troupes, défit Girart dans une grande bataille et lui enleva toutes ses terres. Le peuple d'Arles rappela alors saint Honorat et expulsa Sévi et tous les hérétiques «qui s'enfuirent à Toulouse où ils sont encore». Sans doute s'agit-il ici de légendes chevaleresques empruntées au «Cycle de Charlemagne» où Pépin, Charlemagne lui-même et ses barons jouent leur rôle habituel; et l'on peut soupçonner que Raimon Féraut, mort en 1325, a été tenté de projeter sur ce passé fabuleux les événements qui avaient eu lieu en Languedoc en 1209 et qui n'étaient pas tellement loin; et de faire de Girart de Vienne l'ancêtre des grands seigneurs occitans protecteurs de l'hérésie, et du roi carolingien, le premier «croisé». Mais comment aurait-il inventé ces luttes, si contraires aux mœurs et aux coutumes de son époque, qui mettaient effectivement aux prises, dans les communautés chrétiennes du Ve siècle, pour l'élection des évêques, les manichéens qui se prétendaient les seuls bons chrétiens et les autres qui se réclamaient du catholicisme romain? D'autre part, Raimon Féraut est le seul écrivain du Moyen Age, à ma connaissance, qui, au lieu de rattacher le catharisme à un manichéisme tout héorique, suggère une filiation précise : les manichéens d'Arles «chassés de Provence, s'en vont à Toulouse, honteux et irrités» (*que s'en van a Tholosa vergoynos e irat*) et infestent la cité de leur hérésie (*eau de l'heregia bautugat la ciptat*) et, ajoute-t-il, il y en aurait encore si on ne les détruisait pas par le feu!

Plus caractéristiques peut-être, sinon plus convaincantes, sont les traditions se rapportant au Mont-Wimer, en Champagne. En 1042, 1048 puis en 1144, ce lieu apparaît comme un centre de néo-manichéisme. En 1239, il y eut là un autodafé en présence du comte de Champagne, Thibaut le Chansonnier, et du moine dominicain Robert, grand inquisiteur et ancien hérétique, qui brûlait avec la rage de l'apostat tous ceux qu'il avait adorés autrefois. Le nombre des victimes s'éleva à 180 environ. Or, il est curieux que dans un «dict» français, publié en 1883 par Gaston Raynaud, le *Dict de la Jument du Diable,* où il est fait allusion à cet autodafé, soient rapportées également des traditions liées au Mont-Wimer et concernant l'ancien manichéisme. Déjà, Albéric des Trois-Fontaines avait parlé de Fortunat, qui, chassé d'Afrique par saint Augustin, serait venu s'établir en Champagne où il aurait converti à sa doctrine un chef de brigands nommé Wimer. Le poète de la *Jument du Diable* nous apprend, de son côté, que ce Wimer aurait été chassé de Lombardie par saint Augustin... Il ne faut certes pas prêter à ces légendes plus de crédit qu'elles n'en méritent. Pourtant, la mention qu'elles font de Fortunat est assez troublante. On a l'impression que le chroniqueur et le poète ont tout mêlé : la chronologie et l'histoire. La Lombardie paraît ici, sans doute, en souvenir du séjour de saint Augustin à Milan; peut-être aussi parce que l'on savait, au XIIIe siècle, que le catharisme avait été apporté de Lombardie. Mais pourquoi Fortunat ne serait-il pas venu en Champagne et pourquoi n'y aurait-il pas converti Wimer? Nous ne savons malheureusement pas quelles étaient les croyances exactes de Leutard, ce Champenois qui brisait les croix et refusait de payer les dîmes. Etait-il le descendant de ces «brigands» convertis au manichéisme par Fortunat? Etait-il passé à l'hérésie sous l'influence de missionnaires bogomiles qui auraient simplement ranimé à Mont-Wimer un ancien foyer de manichéisme romain ? Mais est-il vraisemblable que ces missionnaires soient allés jusqu'en Champagne ?

On admet généralement que le catharisme occitan est venu de Bulgarie, en passant par la Croatie et la Lombardie ; Venise a sans doute joué un rôle important dans cette transmission, encore que son cheminement de la Provence au Languedoc ne soit pas clairement établi et encore moins la façon dont il aurait atteint Orléans et la Champagne avant même de s'être manifesté en Languedoc. En vérité, les deux hypothèses ne sont nullement contradictoires. Il y a eu sans doute en France et en Europe occidentale des résurgences manichéennes — celles du XIᵉ siècle — qui ne doivent rien à la propagande bogomile, ou ont été simplement «réactivées» par elle ; et d'autres qui lui doivent à peu près tout leur contenu. Je ne crois pas devoir m'étendre davantage sur ces questions controversées.

Ce qui est sûr, c'est qu'en 1167 — ou 1172 — un pope de l'Eglise dualiste de Constantinople, Nicetas, dont les croyances procédaient de celles de l'Eglise de Dragovici (dualiste absolue et fondée, disait-on, par Mani lui-même) présida un concile cathare à Saint-Félix-de-Caraman et y fit vraiment figure de chef spirituel reconnu par tous. En présence de nombreux évêques, parmi lesquels étaient Bernard de Simorre, évêque de Carcassonne, et Bernard Raimon, évêque de Toulouse, Nicetas procéda à une mise en ordre administrative, délimita les diocèses cathares d'Albi, de Toulouse, d'Agen, de Carcassonne, de «France» et de Lombardie, et fit plusieurs ordinations. Il conféra notamment le *consolamentum* à Sicard Cellerier, évêque d'Albi.

Quelle que soit, donc, l'origine du bogomilisme, et en laissant de côté la question de savoir s'il procède bien des pauliciens, et surtout les pauliciens de l'ancien manichéisme, il faut dater de 1167 (ou 1172), non pas, certes, l'apparition première du catharisme occitan, mais sa constitution en corps de doctrine organisé. A partir de 1167 ou 1172, il s'infléchit philosophiquement dans le sens du dualisme absolu. Et ce raidissement idéologique coïncide avec son implantation en Languedoc et l'installation de sa hiérarchie dans le cadre de diocèses maintenant bien délimités.

Il ne faut pas exagérer sa rigidité dogmatique : il y a toujours eu dans ce dualisme absolu des infiltrations «mitigées», provenant du catholicisme, ou des vaudois, ou des bogomiles eux-mêmes. Car, comme le pensent aujourd'hui quelques savants bulgares, la fraction bogomile des dualistes mitigés avait envoyé, elle aussi, des missionnaires en France pour y contrecarrer l'influence des «absolutistes». Le catharisme occitan et surtout le catharisme italien ont subi entre 1167 et 1300 des variations qui les ont tour à tour attirés vers l'un ou l'autre de ces dualismes. Mais on doit admettre que, dans l'ensemble, les Occitans sont toujours restés fidèles — comme les albanenses d'Italie — à la doctrine absolutiste bogomile. Les échanges intellectuels ne cessèrent d'ailleurs jamais entre l'Occitanie, l'Italie et la Croatie (bogomile), et il est possible, comme semblent l'établir quelques documents, qu'il ait existé en Croatie ou en Bosnie un «pape» du dualisme absolu, en réalité simple «maître spirituel» reconnu à la fois par les hérétiques de France, d'Italie et de Hongrie. Bartholomé de Carcassonne aurait été son représentant en Albigeois... A la veille de la «croisade» (1209), le catharisme est solidement enraciné en Languedoc. Son clergé, ses évêques et ses diacres sont partout en place. Peu à peu son emprise s'étend sur toutes les couches de la population : seigneurs, petits chevaliers, bourgeois, marchands, artisans, paysans. Les femmes surtout sont gagnées à sa cause.

En 1250, Raynier Sacconi dénombre pour la France, l'Occitanie et l'Italie douze Eglises ou évêchés : en France, l'Eglise de France ; en Italie : l'Eglise des albanenses (Desenzano), l'Eglise de Concorezzo, celles de Bagnolo, de Vicence, de Florence, du Val de Spolète ; en Occitanie, les Eglises de Toulouse, d'Albi, de Carcassonne, d'Agen (auxquelles il faut ajouter l'Eglise de Razès, créée en 1225 par le concile cathare de Pieusse (Aude) et dont Sacconi ne semble pas avoir connu l'existence).

Il y avait en outre en Orient et dans l'Empire byzantin : l'Eglise de Sclavonie (Dalmatie), celle des Latins de Constantinople, l'Eglise grecque de Constantinople, l'Eglise de Philadelphie de Romanie (Empire byzantin), l'Eglise de Bulgarie (dualiste mitigée), l'Eglise de Dragovici (dualiste absolue).

Des rites archaïques.
Une spiritualité nouvelle

Il ne reste qu'un très petit nombre d'ouvrages dogmatiques écrits par des cathares : deux rituels, l'un en occitan, l'autre, incomplet, en latin, publié par le R.P. Dondaine (à la suite du *Livres des deux principes*), un *Traité cathare* anonyme du XIIIᵉ siècle, attribué à Bartholomé de Carcassonne et inséré dans le *Liber contra manicheos*, de Durand de Huesca, qui le cite partiellement pour le réfuter (Ed. Thouzellier, Louvain, 1964), et le *Livre des deux principes (Liber de duobus principiis)*, attribué à l'Italien Jean de Lugio (Ed. Dondaine, Rome, 1939). A ces quatre ouvrages, il convient d'ajouter une *Apologie cathare* et une *Glose sur le Pater,* figurant dans un manuscrit de la «Collection vaudoise de Dublin» et publiées récemment par M. Venckeleer (1960). Ces traités donnent des renseignements précieux — le *Livre des deux principes* surtout — sur des points importants de la doctrine, mais ils ne l'exposent point dans son ensemble ni de façon suivie. De sorte qu'il faut avoir recours, pour essayer de la mieux saisir, à ce qu'en ont dit les controversistes catholiques et à ce que nous en apprennent les documents de l'Inquisition.

Il n'y a pas lieu de mettre systématiquement en doute les éclaircissements fournis par les controversistes : on peut seulement regretter qu'ils aient parfois rendu compte d'une façon trop peu méthodique des théories de leurs adversaires et sans en souligner, comme il aurait fallu, les articulations dialectiques essentielles. Privée de son contexte explicatif, la pensée cathare risque de paraître plus pauvre et moins cohérente qu'elle ne l'était peut-être pour ceux qui l'avaient élaborée. L'esprit de l'époque voulait que l'on attachât autant d'importance, sinon plus, à de menues différences portant sur le dogme et les rites qu'aux grandes différences métaphysiques. Tout est donc mis sur le même plan : les caractères fondamentaux du dualisme, les prescriptions morales qui en découlent et le cérémonial religieux.

Quant aux documents de l'Inquisition, ils nous éclairent surtout, étant donné que les hérétiques interrogés étaient souvent fort ignorants en philosophie et en théologie, sur le catharisme populaire encombré de légendes puériles et de mythes. Aussi, ne doit-on utiliser ces mythes comme « sources » que lorsqu'on est assuré qu'ils étaient déjà « socialisés » au XIIIe siècle, c'est-à-dire largement répandus sous une forme à peu près invariable et indépendante, dans une certaine mesure, de la fantaisie créatrice individuelle. Et encore faut-il qu'on en possède la signification abstraite clairement formulée par un cathare intelligent ; ou, à la rigueur, que cette signification abstraite ressorte immédiatement et sans aucun doute possible de la symbolique figurée : les cathares ont donné eux-mêmes assez souvent l'explication de leurs apologues ou *exempla*. C'est cette explication seule qui doit être retenue. Cela revient à dire que l'interprétation des légendes brutes — à quoi se réduit pour nombre d'hérésiologues l'exposé de la doctrine dualiste — devrait être réservée aux ethnographes ou aux psychologues de l'inconscient, qui commettraient, en cette matière, beaucoup moins d'erreurs que les historiens des religions. Il est plus prudent et plus « scientifique », de toute façon, d'expliquer le mythe par la doctrine que la doctrine par le mythe.

Il est de tradition — bien que les hérétiques n'aient jamais employé eux-mêmes cette terminologie trop radicale et sur laquelle j'aurai à faire maintes réserves dans la partie de ce livre consacrée à leur philosophie — de distinguer, en France et en Italie, les dualistes dits absolus des dualistes dits mitigés. En Italie les *concorenses* (région de Concorezzo, Milanais) appelés aussi *garatenses* vers 1240 (du nom de l'un de leurs premiers évêques, Garathus) étaient dualistes mitigés ; les albanenses (région de Dezenzano, lac de Garde), dualistes absolus. En France, on admet qu'au moins depuis 1167 (date où se tint le fameux concile de Caraman et sous l'influence du pope Nicetas qui le présida), la plupart des cathares occitans étaient albigenses (Albigeois), c'est-à-dire dualistes absolus.

Pour simplifier, je maintiendrai provisoirement, en ce qui concerne leurs dogmes et leurs mythologies religieuses respectifs, cette division classique et commode en dualisme absolu et dualisme mitigé.

Le dualisme mitigé

Bien qu'il couvre de nombreuses nuances assez difficiles à démêler, et en dépit d'implications idéologiques très complexes et contradictoires, le dualisme dit « mitigé » peut schématiquement s'assimiler à une conception moniste; au départ, les dualistes mitigés admettent l'existence d'un Dieu unique, d'un Créateur universel, dont procèdent toutes choses, y compris le Mal, Satan, l'Enfer, etc.

Sur ce point capital, le dualisme mitigé n'est donc pas en foncière contradiction avec la doctrine chrétienne traditionnelle. En revanche, il s'écarte notoirement des bases de la doctrine dualiste telles que nous les avons exposées précédemment.

Même au deuxième stade de la création du monde, le dualisme « mitigé » reste « relatif ». Dieu a donc créé le Diable qui, d'abord esprit bon, s'est par la suite corrompu lui-même et révolté contre son Père. Certains de ces dualistes mitigés allaient jusqu'à attribuer deux fils à Dieu : Jésus-Christ et Lucibel — autrement dit Lucifer. Jusque-là, rien que d'assez conforme au point de vue des chrétiens orthodoxes, pour lesquels Lucifer est aussi Fils de Dieu.

Seulement, Lucifer, devenu Satan et chassé par son Père, entreprit aussitôt d'édifier un monde qui fût sa création propre. Ici les avis divergent. Selon les uns, Satan aurait construit son univers à partir d'éléments préexistants, créés par Dieu, et corrompus par son infernale intervention; selon d'autres, il aurait inséré ces éléments divins dans une organisation imparfaite. Il mit donc un certain ordre dans la matière, divisa les éléments, accomplit sa création maligne, fabriqua les corps, tout cela avec la permission du vrai Dieu qui tenait, comme le Dieu de Lactance, à ce qu'il y eût « de la variété et des forces antagonistes dans l'Univers ». Naturellement, les pouvoirs créateurs du Diable étaient fort limités. Il n'eût pas été capable d'animer les automates de boue qu'il avait fabriqués si Dieu ne l'avait pas aidé! Il demanda donc à Dieu des anges inférieurs, de bonne volonté, qui, moitié de force, moitié de gré, finirent par se laisser enfermer dans des corps. D'autres mythes racontent que Lucifer séduisit d'abord les anges, les isola chacun dans un corps — «Ils pleurèrent quand ils se virent séparés et différents» (*dissimiles forma*) — et força l'un, Adam, à faire avec l'autre (Eve) l'œuvre de chair. Mais son pouvoir sur eux resta toujours précaire. Selon un de ces mythes, Dieu a soufflé sur la statue d'argile pour l'animer, à la demande de Lucifer; mais aussitôt animée, la statue s'écrie : «Lucifer, je ne suis plus à toi!» Ces anges captifs, Adam et Eve et leurs descendants, pourront à la fin mériter le salut : ils possèdent le libre arbitre et font le bien ou le mal selon leur nature, mais librement. Ils seront jugés à la fin sur leurs mérites et obtiendront ou l'enfer éternel ou le paradis. Cependant Dieu les prit en pitié. Et d'abord Adam et Eve, auxquels il fit grâce quand fut écoulée la période qu'il avait assignée à leur exil et à leurs migrations — il n'y eut, semble-t-il, de migration de corps en corps que pour le premier couple. Il donna en même temps une possibilité de salut aux âmes qui dérivaient d'eux (car les dualistes mitigés ne croyaient pas aux réincarnations, mais professaient le *traducianisme* : selon cette théorie, inventée par Tertullien pour expliquer la transmission du péché originel, et que saint Augustin adopta quelque temps, puis abandonna, l'âme des enfants est engendrée par l'âme des parents, comme les corps sont issus des corps). Il fit donc descendre sur la terre son Fils — ou Verbe — Jésus-Christ, ainsi que le Saint-Esprit.

Sur la nature du Fils et du Saint-Esprit, les tenants du dualisme mitigé ne sont pas toujours d'accord : certains les tiennent pour inférieurs au Père. D'autres les identifient complètement à Dieu, restant fidèles à l'indissoluble Trinité Père-Fils-Saint-Esprit.

Pour les dualistes mitigés, comme d'ailleurs pour les dualistes absolus, la mission de Jésus-Christ se rapporte essentiellement à son enseignement. Le sacrifice du Christ n'a pas de valeur vivante, concrète. On peut même se demander s'ils se préoccupaient de la réalité historique du personnage de Jésus. L'anecdocte importe peu, si ce n'est pour sa valeur de symbole : seul compte l'enseignement.

Jésus ne s'est pas manifesté dans un corps réel, un corps de chair et de sang (puisque la matière est une création satanique). Son apparence était purement fantomale et ressortissait davantage à l'illusion qu'à la réalité.

Les cathares se rattachent donc aux tenants du docétisme qui nient la réalité charnelle de Jésus. Mais il y a tous les degrés dans le docétisme : d'aucuns affirmaient que le Christ avait revêtu une enveloppe angélique, d'autres que son corps, composé d'une substance pure de toute corruption, était semblable à celui que les esprits déchus avaient dû laisser au ciel en attendant leur rédemption.

En ce qui concerne les autres entités célestielles, les dualistes mitigés n'ont point été toujours d'accord. Jean-Baptiste est parfois considéré comme un démon; parfois comme un envoyé de Dieu : il serait né d'Elisabeth seule, par l'action du Saint-Esprit. La Vierge est tantôt une femme réelle, tantôt un ange venu du ciel en même temps que Jésus-Christ et n'ayant, par conséquent, qu'une apparence de corps.

Il n'y aura point de résurrection de la chair, mais il y aura un Jugement dernier (comme pour les catholiques), à l'issue duquel seulement — selon certains dualistes mitigés — les anges Adam et Eve, «qui auront traversé les corps d'Enoch, d'Abraham, de Noé et des prophètes. et obtenu leur pardon dans les corps de Simon et d'Anne, seront admis de nouveau dans la gloire de Dieu» : schématisme de réintégration assez curieux, emprunté peut-être à la Kabbale, ou plutôt aux théories réincarnationnistes des dualistes absolus. Les âmes des justes seront récompensées et retrouveront au Ciel leur corps glorieux. Celles des mauvais seront damnées. Il n'y a pas de purgatoire ni de degrés dans la béatitude et la damnation : tous les péchés sont égaux.

Le monde sera dissous (en tant que création satanique) et réduit à ses éléments (le chaos primordial tiré par

Dieu du néant.) Après l'Apocalypse, le démon habitera, avec les âmes qu'il aura séduites, ce chaos qui deviendra pour lui un enfer, un lieu de supplices...

On voit, par cet exposé rapide de leurs doctrines, que les dualistes mitigés ne différaient vraiment des catholiques que sur l'importance du rôle à attribuer à Lucifer dans la création du monde et de l'homme physique. Pour les catholiques, Lucifer était le prince de ce monde. Pour les cathares, il en était l'organisateur et partiellement le créateur : avec la permission et l'aide de Dieu, il avait débrouillé les éléments (éternels eux-mêmes ou appartenant à l'Ordre divin, selon les mythes) et créé les corps visibles. Mais son rôle et sa puissance étaient temporaires : «Donne-moi le temps, avait-il dit à Dieu, et je te rendrai tout!»

Les dualistes absolus se montraient, par rapport au catholicisme romain, beaucoup plus radicalement hérétiques.

Le dualisme absolu

Seuls les dualistes absolus étaient véritablement dualistes. Pour eux, il y avait deux principes également éternels : un dieu de l'Etre et du Bien qui avait créé toutes choses bonnes, l'invisible, le monde incorruptible des esprits ; et, en face de lui, une Racine du Mal, un dieu malin de la corruption, dont la manifestation toute matérielle et chaotique n'aura pas de fin. Il existe donc une éternité bonne — infiniment stable — et une éternité mauvaise, celle de la matière, consistant plutôt en une durée indéfinie perpétuellement agitée de changements contradictoires ; des éléments (air, feu, eau, terre) de matière incorruptible, sortes de principes spirituels de la matière, et des éléments grossiers et instables : ceux qui composent ce monde-ci ; des âmes spirituelles et des âmes à peine spiritualisées et peut-être purement matérielles (?) ; bref, s'opposant à la création lumineuse, une création informe, vouée à la corruption, aux ténèbres, à la mort, au néant.

Le principe du Mal réussit une fois, disent les mythes.

à s'emparer des âmes angéliques en faisant irruption dans le ciel du vrai Dieu. Les dualistes absolus avaient coutume de produire des fables extravagantes, mais poétiquement parlant très significatives, pour exprimer les causes et les péripéties de ce drame cosmique. Satan aurait proposé aux anges de leur donner le libre arbitre, c'est-à-dire la connaissance (fallacieuse) du Bien et du Mal (le pouvoir de «connaître» le Mal sans le faire!), et surtout les jouissances inhérentes au vouloir-vivre : l'égoïsme, le plaisir charnel (qui entraîne la matérialisation), la domination sur les faibles (la hiérarchie féodale!), etc.

Il est significatif que les deux docteurs dont nous possédons les traités, Bartholomé de Carcassonne et Jean de Lugio, ne fabulent pas de la sorte et qu'ils s'en tiennent, l'un, à une simple compilation de citations scripturaires assorties de brefs commentaires philosophiques; l'autre, à un exposé purement dialectique. Il faut faire comme eux et ne retenir de ces mythes que leur substance intelligible : certains anges de Dieu, nous suggèrent-ils, ont été vaincus par Satan soit par ruse, soit par la force. Cela signifie qu'ils n'avaient ni assez de puissance intellectuelle pour réduire à néant le contenu de la tentation satanique, ni assez de vigueur ontique pour s'opposer à la «dislocation» que le démon leur fit subir (il ravit leurs «âmes», non leurs corps ni leurs «esprits»). Les anges déchus ne possédaient donc pas le libre arbitre; ils étaient déterminés de toute éternité, en raison de leur insuffisance ontologique, à déchoir, à «tendre au néant». Quand on a admis cela, les trois phases mythiques du drame cosmique deviennent assez claires :

a) Satan pénètre dans le ciel.

b) Il séduit ou asservit les anges qui étaient prédestinés à faire le mal depuis l'origine et il les fait tomber sur la terre : il les matérialise.

c) Il combat contre les anges restés fidèles, mais ne réussit pas à les vaincre, parce que ceux-là étaient, de par leur nature, attachés indissolublement à leur propre essence, à Dieu et au Bien. Le péché a donc été commis dans le ciel, comme Lactance le croyait aussi. Et il y a deux sortes d'anges du Mal : ceux qui ont été séduits et ceux qui ont été capturés. Les premiers sont les démons, les seconds sont les hommes. Les dualistes absolus ne s'accordaient pas toujours entre eux sur la nature des premiers. Les uns pensaient que les démons séduits avaient toujours été tels, qu'ils avaient été créés par le Diable ou qu'ils lui étaient coéternels. D'autres, qu'ils avaient été corrompus par le mauvais principe, mais de toute éternité. C'est là — faute de documents — l'un des points les plus obscurs de la métaphysique cathare.

De toute façon, les mauvais anges n'ont point péché librement : ils ont été asservis au Mal selon une nécessité inhérente à leur essence. Tout, dans le système dualiste, est prédestination, tout s'y opère mécaniquement. L'œuvre du Mal est nécessaire ; la libération définitive l'est également.

Les anges capturés par Satan sont tenus en réserve et introduits dans des corps au fur et à mesure que les actes charnels se produisent. Ils ont à se réincarner, soit sous forme humaine, soit sous forme animale (plus rarement) — trois, sept, neuf fois ou plus —, jusqu'à ce qu'ils aient appris par une sorte d'expérience passive que le malheur coïncidait avec le Mal et qu'il importait d'éviter l'un et l'autre. Le mécanisme des réincarnations ne s'arrêtera que lorsque toutes les âmes auront été sauvées. Pour chaque individu, le cycle des réincarnations se terminait obligatoirement par son accession à un corps de parfait, dans lequel il recevait le *consolamentum*. Quelques cathares ont soutenu que, pour une femme, la dernière incarnation avait lieu dans un corps masculin. Mais cette croyance ne semble pas avoir été partagée par les parfaits éclairés qui professaient que l'âme n'est point sexuée et qu'il n'y a dans le ciel ni hommes ni femmes.

A la fin, toutes les âmes créées par Dieu seront sauvées. Celles qui ne le seront pas n'appartiennent pas au bon Dieu. Nouvelle difficulté liée à celle que j'ai signalée précédemment : comment peut-il exister des esprits, créés par le Dieu des esprits, qui ne fassent pas retour, à la fin, à leur source ? Etaient-ce des âmes matérielles, «hyliques», semblables à celles des démons du manichéisme ancien, grossières et bestiales ? Ou bien avaient-elles été matérialisées de toute éternité, et nécessairement par la corruption universelle qui, en droit, peut atteindre toute la création divine, mais, en fait, ne « nihilise » que les entités qui, par nature, sont prédestinées à aimer le Néant ?

A la fin des Temps, l'organisation du monde satanique sera détruite. Mais Satan subsistera toujours avec l'ensemble des éléments chaotiques. La Terre, que toutes les bonnes entités et les âmes sauvées auront désertée, s'embrasera et deviendra l'enfer véritable. C'est-à-dire le séjour naturel et exclusif du Diable rendu à lui-même. Il s'agitera désormais dans son éternité impuissante qui ne peut plus mordre sur l'être, ni le corrompre. Il ne pourra plus rien entreprendre désormais contre le Dieu de lumière ni contre les justes.

D'après ces quelques propos, on peut voir l'extrême complexité de ce système et le très subtil équilibre sur lequel il repose. Il convient donc de souligner certains points qui, considérés isolément, peuvent paraître assez obscurs et qu'on ne peut comprendre que si on les replace dans la vision d'ensemble du catharisme.

Le dualisme absolu étant aussi un déterminisme absolu, on pourrait ne pas comprendre le sens même de cette gigantesque lutte que se livrent dans l'éternité les deux grands principes du Bien et du Mal. Puisque tout est joué dès le départ, peut-on même parler de lutte, la notion de guerre, de conflit impliquant toujours une incertitude quant à l'issue finale ?

Cela nous oblige à insister sur une notion qui différencie nettement le dualisme cathare du manichéisme ancien ; pour les cathares, si les deux principes se partagent l'univers, ils sont fondamentalement inégaux dans leur nature et leur valeur. Si la lutte est gagnée d'avance par le Dieu bon, elle ne l'est pas pour Satan, qui est, par essence, un être aveugle, chaotique, voire stupide. Et Satan sera finalement vaincu, puisqu'à la fin des Temps les âmes pures seront récupérées par le Dieu du Bien, leur créateur.

Mais Satan, vaincu, ne sera pas détruit, puisqu'il continuera d'exister dans sa géhenne. D'où l'affirmation du caractère éternel des deux principes...

Le système de Jean de Lugio

Vers 1240, le dualiste absolu Jean de Lugio, de Bergame, fils majeur de l'évêque de Desenzano, entreprit de donner plus de rigueur philosophique au dualisme absolu et de résoudre les difficultés que j'ai signalées plus haut. Il composa donc un gros traité aujourd'hui perdu, mais dont Raynier Sacconi nous a laissé une brève analyse, et un ensemble de petits traités groupés sous le même titre : *Livre des deux principes*, que nous possédons.

Les idées maîtresses de Jean de Lugio sont, en gros, celles de tous les dualistes absolus. Voici comment il les a systématisées :

1) Les deux créations sont coéternelles à leurs créateurs : elles procèdent d'eux «comme les rayons émanent du soleil». Il y a donc toujours eu le Mal, des diables, des âmes corrompues (mal assurées dans leur être, vaines et changeantes).

2) La corruption — l'œuvre du mauvais principe — a exercé ses ravages sur toutes les créatures du vrai Dieu : «Les étoiles elles-mêmes ne sont pas pures» (*Stella non sunt mundae*). Il y a donc eu des catastrophes dans les plans supérieurs, et le péché a été commis dans le ciel (cette idée n'est pas nouvelle : elle se trouve dans la Bible où l'on voit les anges forniquer avec les filles des hommes, et dans les *Institutions divines* de Lactance).

Cependant, la corruption universelle est limitée, en fait, par la surabondance d'être et d'éternité qui est dans le vrai Dieu et par les lois mêmes de la nécessité (le bénéfice des épreuves ne peut plus être annulé : le Diable ne peut pas empêcher les âmes par lui corrompues, mais qui lui ont échappé par la souffrance, de se transformer et de devenir incorruptibles). D'autre part, Dieu est tout-puissant dans le Bien, et — c'est ici la conception la plus profonde de Jean de Lugio — il peut accroître comme il le veut l'être de certaines de ses créatures si elles sont sur le chemin de la libération. C'est ainsi qu'il a préservé le Christ de toute souillure, de tout péché, qu'il a rendu impeccables les «esprits» des hommes, qu'il rendra incorruptibles les âmes qui auront traversé les épreuves nécessaires.

La morale du catharisme

Les parfaits

Bien qu'ils n'eussent pas les mêmes conceptions métaphysiques, les dualistes absolus et les dualistes mitigés observaient les mêmes règles de morale théorique et pratique qui n'étaient pas très différentes, d'ailleurs, de celles de la morale et de l'ascétisme romains. Ces règles découlaient de la constatation que ce monde-ci est mauvais et que le Diable en est le prince : il fallait se libérer du Mal et du monde matériel en s'efforçant d'avoir le moins de contacts possible avec eux en s'adonnant à la vie spirituelle : vivre dans l'invisible et non pas dans le visible. Mais tous les cathares ne se trouvaient pas au même niveau de spiritualité : les uns étaient encore au bas de l'échelle, quand les autres approchaient du sommet. C'est pourquoi le catharisme faisait une grande différence entre la masse des fidèles qu'il appelait «croyants» et le petit groupe d'initiés qu'il appelait «parfaits». Ces parfaits étaient, dans le sens exact où saint Paul prend le mot *perfecti* — «Nous qui sommes parfaits» (*Philipp., III, 15 et I-Cor., II, 6*) —, des chrétiens déjà «formés» et non pas pour autant «consommés» en perfection. Théoriquement, soit par un effet de la grâce divine, soit en conséquence de leurs incarnations antérieures, ils étaient sur le chemin de la libération. En fait, les parfaits étaient les «bons chrétiens» qui avaient reçu le *consolamentum* et le pouvoir de le conférer à leur tour. Ils constituaient le clergé cathare. C'est parmi eux qu'étaient choisis les diacres — pasteurs servant d'intermédiaire entre l'épiscopat et les simples croyants — les évêques et les «fils majeurs» et «mineurs» (successeurs éventuels des évêques et leurs coadjuteurs).

Les parfaits étaient soumis à une morale extrêmement rigoureuse. Ils devaient éviter non seulement les péchés mortels et véniels du catholicisme, mais aussi tous ceux qu'ils auraient pu commettre contre la règle de leur ordre :

Tout acte de chair leur était interdit. S'ils étaient mariés, ils devaient se libérer du lien conjugal charnel.

L'homicide — le péché le plus grave — leur était également interdit, ainsi que le meurtre des animaux. Il leur était défendu de faire la guerre, de prendre part à des répressions judiciaires et même de participer de quelque façon à des actes dits de justice (civile ou ecclésiastique). Tous les conflits devaient être réglés par un arbitrage. Ils s'y employaient avec zèle quand ils étaient choisis pour arbitres.

La lâcheté devant la souffrance et la mort était un péché, les cathares considérant que la première des vertus, la seule qui transcende la mort, celle qui permet et conditionne toutes les autres, était le courage.

Les parfaits ne devaient pas mentir. Ils ne devaient pas jurer.

Ils ne pouvaient manger d'aliments carnés. Leur nourriture consistait en poisson, en légumes et en pain. Encore jeûnaient-ils souvent au pain et à l'eau.

Enfin, ils étaient tenus à mener une vie vraiment spirituelle, à vivre dans le mépris de leur corps, par conséquent à prier beaucoup, à méditer ; mais aussi à s'oublier eux-mêmes au profit d'autrui, à se dévouer à leur prochain. Beaucoup de parfaits soignaient les malades, étaient médecins et chirurgiens en même temps que consolateurs des âmes. Ils étaient moralement obligés, en principe, d'exercer un métier, mais la plupart du temps les devoirs de leur ministère suffisaient à les occuper.

La présence de l'Esprit en eux les libérant du Mal, les parfaits étaient réputés libres et, par conséquent, pleinement responsables. En théorie, ils étaient impeccables pour la même raison, mais comme ils étaient encore incarnés et soumis dans une certaine mesure à la puissance du Démon, ils n'avaient qu'en droit le pouvoir de ne pas pécher (alors que les simples croyants n'étaient point libres de ne pas pécher). Il est probable que certains d'entre eux — comme ce parfait dont il est question dans les textes, qui demeurait assis sur le seuil de sa maison, immobile et impassible comme un sage indien — parvenaient réellement à l'impeccabilité. Mais, pour la plupart, cette impeccabilité virtuelle se traduisait surtout par le fait que s'ils venaient à pécher ils se détruisaient pour ainsi dire eux-mêmes et devaient s'astreindre à de terribles et longues mortifications et recommencer toute leur initiation pour retrouver l'état de grâce : les péchés commis par des parfaits étaient des péchés contre l'Esprit (qui était en eux). La doctrine voulait qu'ils ne pussent être pardonnés, ou qu'ils ne le fussent que très difficilement.

Cette conception très particulière rapproche le catharisme de toutes les grandes traditions ésotériques et initiatiques, notamment de l'hindouisme et du soufisme, où l'on retrouve cette idée de la responsabilité absolue de l'«illuminé», de l'«éveillé», dont les fautes, même à première vue minimes, sont infiniment plus graves puisqu'il les commet en toute connaissance de cause, dans un état de conscience surmultiplié et aussi de total pouvoir sur soi-même, alors que le non-éveillé, le simple adepte est aveuglé par son ignorance, enchaîné à une implacable loi de cause à effet, par conséquent irresponsable.

Cette considération montre bien, s'il en était besoin, le caractère initiatique du catharisme. Pour illustrer cette attitude, on peut citer la phrase du Christ : «Avant ma venue, vos péchés vous étaient remis, après ma venue, rien ne vous sera pardonné.»

Les croyants

Contrairement à ce que l'on écrit parfois, les péchés étaient absolument les mêmes pour les croyants et pour les parfaits. Seulement les simples croyants (qui n'étaient ni libres ni vraiment responsables de leurs actes et qui devaient attendre, pour le devenir, de s'être réincarnés plusieurs fois) bénéficiaient d'une très grande indulgence. Quand ils péchaient, c'est le Diable qui péchait en eux. Ils n'étaient pas tenus de mener une vie ascétique ou mystique : ils pouvaient se marier, manger de la viande. Il suffisait qu'ils pratiquassent les vertus moyennes des hommes engagés dans le siècle.

Notons à quel point cette vision d'une ascension progressive des être à travers des réincarnations sucessives est proche, par exemple, de la pensée d'un Aurobindo, à quel point également elle s'accorde avec les théories évolutionnistes contemporaines.

Mais les simples croyants n'étaient pas aussi livrés à eux-mêmes qu'on l'a prétendu : l'Eglise cathare ne cessait pas de veiller sur eux et de les endoctriner. Sans doute, celle-ci comptait surtout sur les vies successives pour les amender : nul n'est bon qu'à son heure. Et il est évident que, pour beaucoup d'entre eux, cette heure n'était pas encore venue. Mais il était utile que le croyant, qui était censé se perfectionner avec le temps, manifestât ce progrès en se mettant dans les bonnes dispositions qui correspondaient à l'espoir que sa prochaine réincarnation serait moins mauvaise que la précédente. Du fait qu'il ne demandait pas à recevoir le *consolamentum* d'ordination, il faisait la preuve qu'il n'était pas parvenu à l'état de purification nécessaire. Mais le fait qu'il se voulait «croyant» prouvait, en revanche — comme aussi la vie honnête qu'il menait — qu'il était sur le chemin de la libération. C'est pourquoi, les Bonshommes les instruisaient et leur demandaient de penser à leur salut, étant bien entendu que s'ils le cherchaient, en vertu de ce déterminisme dont le catholicisme romain s'est fait lui-même l'écho, «c'est qu'ils l'avaient déjà trouvé». S'ils se mariaient, on leur rappelait que c'était au péril de leur âme et au risque de se réincarner maintes fois encore. Il leur était recommandé de renoncer aux plaisirs de la chair — qui engendrent le mal — dès qu'ils en seraient devenus capables.

En toutes circonstances, l'Eglise se rappelait aux croyants. Toutes les fois qu'ils rencontraient un parfait, ils le saluaient respectueusement en faisant leur *meliora-mentum*. Ils étaient tenus d'assister aux diverses cérémonies religieuses, aux *consolamenta*, aux banquets précédés de la fraction et de la bénédiction rituelle du pain, aux «baisers de paix», aux sermons. Ils devaient méditer les leçons des Bons-hommes, suivre les prières dites en commun, prier eux-mêmes. Bref, ils participaient au moins autant à la vie spirituelle de leur Eglise que les catholiques à celle du catholicisme.

Rites du catharisme

La prière

Même sur le plan de la prière, il y avait une différence entre les purs et les simples croyants. Les cathares ne connaissaient qu'une seule vraie prière, l'Oraison dominicale, qui était tout à la fois un credo, un acte d'espérance, une demande de grâce. Mais pour cette raison même, nul ne pouvait dire cette prière s'il n'avait d'abord reçu une sorte d'initiation. Comment les simples croyants auraient-ils pu appeler Dieu «Notre Père», puisque, ne s'étant pas encore libérés de la matière ou n'ayant pas encore fait promesse de s'en libérer, ils restaient tout charnels et, par conséquent, fils du Diable ?

Les simples croyants priaient beaucoup, mais en n'utilisant que des prières de remplacement. Il leur était interdit d'évoquer directement le «Père», mais ils pouvaient demander à Dieu de leur communiquer le désir d'aimer ce qu'il faut aimer. Certaines prières qui nous ont été conservées étaient vraisemblablement réservées aux croyants, par exemple la prière célèbre *Payre Sant* : «Père saint, Dieu juste des bons esprits, toi qui jamais ne te trompas, ni ne mentis, ni n'erras, de peur que nous n'éprouvions la mort dans le monde du «dieu étranger» (le Diable), puisque nous ne sommes pas de ce monde et que le monde n'est pas de nous, donne-nous à connaître ce que tu connais et à aimer ce que tu aimes...» Il n'était pas interdit au simple croyant de penser à Dieu et, par conséquent, de le nommer et, à plus forte raison, de souhaiter qu'il illuminât son esprit et son cœur.

Je ne crois pas qu'on ait conservé de ces prières de remplacement datant du catharisme classique. Celles que nous connaissons sont tardives. Au début du XIVe siècle, Pierre Mauri s'adresse ainsi à Bélibaste, l'un des derniers parfaits cathares : «Qu'elle prière ferai-je donc si je ne dois pas dire le *Pater noster*?» Bélibaste lui répondit qu'il devait prier ainsi : «Que le Seigneur Dieu, qui guida les rois Melchior, Balthazar et Gaspard quand ils vinrent l'adorer dans l'Orient, me guide comme il les a guidés!» Ce serait faire preuve d'un historicisme trop étroit que de penser que ces prières du XIVe siècle n'avaient pas déjà été employées au XIIIe siècle. Et que les Bons-hommes de 1208 ou de 1244 avaient laissé leurs croyants absolument privés de secours de toute oraison. Il est certain, d'ailleurs, que les croyants pouvaient prononcer un *Benedicite (Benedicite, Benedicite, Domine Deus, Pater bonorum spirituum, adjuva nos in omnibus que facere voluerimus)* et assister, comme je l'ai dit, à des cérémonies où ils entendaient dire le *Pater* (la Bénédiction du pain, par exemple).

Le melhorament

Mais le rite essentiel, celui par lequel le croyant affirmait presque quotidiennement sa fidélité à l'Eglise cathare, était le *melhorament* (mot occitan latinisé en *melioramentum*). L'«Adoration» (au sens purement liturgique) ou *melhorament*, était chez les cathares la salutation que le croyant adressait au parfait dès qu'il l'apercevait. Il «adorait» en lui la présence du Saint-Esprit. Mais c'était en même temps une prière par laquelle il demandait à Dieu la grâce d'être «amélioré», perfectionné.

Il se mettait à genoux, s'inclinait trois fois jusqu'à terre, mains jointes, ou, parfois, faisait seulement trois révérences ou génuflexions moins profondes, en disant chaque fois : «Bénissez-nous, Seigneur (c'est le parfait qu'il appelait Seigneur ou Sieur), priez pour nous.» Le parfait lui répondait : «Dieu vous bénisse!» Le croyant demandait alors la grâce d'être conduit à bonne fin. Le parfait répondait : «Dieu vous bénisse, nous prions Dieu pour qu'il vous fasse bon chrétien [ou bonne chrétienne, car les femmes faisaient aussi le *melhorament*] et vous amène à bonne fin. »

En occitan, les formules étaient : *Bon chrestian, [balhatz-nos] la bénédiction de Dieu e de vos!* (Bon chrétien, [donnez-nous] la bénédiction de Dieu et de vous!). Le bon chrétien répondait : *Ajatz-la de Dieu e de nos!* (Tenez-la [ayez-la] de Dieu et de nous!).

Comme on le voit, ce qui est important dans le *melhorament*, c'est que le croyant y prenait l'engagement de faire une bonne fin, c'est-à-dire de recevoir le *consolamentum* à son lit de mort et, par conséquent, de s'intégrer totalement à l'Eglise cathare. C'est pourquoi M. Duvernoy pense avec raison, me semble-t-il, que le premier *melhorament* devait s'accompagner d'une *convenenza*. Peut-être même à la fin du XIIIᵉ siècle en tenait-il lieu. On appelait *convenenza* un pacte que le croyant concluait avec l'Eglise, aux termes duquel celle-ci s'engageait à lui donner le *consolamentum*, même s'il n'était pas en état de dire le *Pater*.

La tradition de l'Oraison

La «transmission» de l'Oraison dominicale et du pouvoir de la dire n'a, en elle-même, rien d'hérétique. «La tradition du *Pater*, comme le dit le R.P. Dondaine (et l'imposition des mains) sont les témoins d'un âge où la confirmation était rattachée au baptême.» Dans le catharisme, elle constituait une sorte d'initiation. C'est par elle que l'on s'acheminait de l'état de simple croyant à l'état de parfait.

Naturellement, quoiqu'on pût être initié au *Pater* sans être «consolé» tout de suite après, la tradition de l'Oraison était généralement suivie de la réception du *consolamentum* d'ordination ou du *consolamentum* des mourants. Il eût été inutile que le croyant dise le *Pater*, s'il n'avait pas été mis en contact avec l'Esprit par le baptême spirituel. D'autre part, le *consolamentum* impliquait la transmission préalable de l'Oraison, puisqu'il était nécessaire que le néophyte prononçât cette prière en le recevant. L'état d'abstinence dans lequel devait être le croyant avant d'être initié au *Pater* montre bien, par ailleurs, que celui-ci se préparait ainsi à la véritable vie spirituelle et non pas seulement à prier.

Le croyant, en état d'abstinence, était donc accueilli par l'assemblée des fidèles. Il était accompagné d'un parrain et du doyen d'âge de la communauté appelé parfois l'Ancien. Tout le monde se lavait les mains. Le croyant faisait son *melhorament*. L'Ordonné — l'évêque, le diacre, ou, quelquefois, l'Ancien — lui adressait alors une admonition solennelle dont le rituel fournissait le modèle (mais sur lequel le ministre pouvait broder). Cette admonition, d'une grande élévation morale, faisait appel à la foi et, aussi, à la réflexion du néophyte (qui a toujours l'âge de raison).

Elle consistait en un commentaire du *Pater*. C'est dans ce commentaire, entre autres, qu'on perçoit nettement le caractère foncièrement ésotérique du catharisme. Son interprétation du *Pater* est en effet très différente de celle du catholicisme : elle peut paraître obscure, elle est en tout cas secrète.

Les cathares, comme on pouvait s'y attendre, ont accentué le sens dualiste du *Pater*.

Voici le texte du *Pater* cathare : «Notre Père qui es aux Cieux, que ton nom soit sanctifié. Que ton règne arrive. Que ta volonté soit faite sur la terre comme dans le ciel. Donne-nous aujourd'hui notre pain *supersubstantiel*; pardonne-nous nos offenses comme nous pardonnons à ceux qui nous ont offensés. Ne nous laisse pas succomber à la tentation ; mais délivre-nous du Mauvais. Car c'est à toi qu'appartiennent le règne, la puissance et la gloire, aux siècles des siècles. »

On voit tout d'abord qu'un terme a été modifié : on a substitué le mot «supersubstantiel» au mot «quotidien». Mais cette variante n'est pas proprement cathare : on la trouve déjà chez saint Bonaventure, chez saint Thomas d'Aquin. En fait, les commentaires cathares portent essentiellement sur les formules qui peuvent s'interpréter dans un sens dualiste. Par exemple : «Que ton règne arrive», c'est donc qu'il n'est pas encore arrivé.

«Délivre-nous du mal» signifie naturellement : «Délivre-nous du Malin qui est le tentateur des fidèles et le maître de ce monde-ci».

«Que ta volonté soit faite» implique, là aussi, qu'elle n'est pas encore accomplie, puisque l'univers matériel est la création de Satan.

Enfin, remarquons que la prééminence du bon principe sur le mauvais n'est pas remise en question. Le *Pater* ne proclame-t-il pas que c'est à Dieu, au vrai Dieu qu'appartiennent le règne, la puissance, la gloire, aux siècles des siècles?

Mais revenons à cette cérémonie de la Tradition de l'Oraison. Le croyant prenait alors le livre des mains de l'Ancien (*La Tradition du Livre*, qui avait été autrefois dans l'Eglise primitive une cérémonie séparée, se confondant pratiquement, dans le catharisme, avec celle du *Pater*). L'Ordonné (l'évêque, le diacre, ou quelquefois l'Ancien) lui faisait à cette occasion renouveler sa promesse d'observer les trois vertus essentielles : chasteté, vérité, humilité, et lui rappelait qu'il avait le devoir de retenir la sainte oraison toute sa vie et de la réciter dans toutes les circonstances prévues par le rituel. L'Ordonné disait alors l'oraison à haute voix et lentement. L'Ancien, le premier des Bons-hommes, ou le parrain, la redisait après lui; le récipiendaire la répétait à son tour : il était «initié». L'Ordonné, ou l'Ancien, s'exprimait ainsi : «Nous vous livrons cette sainte oraison pour que vous la receviez de Dieu et de nous et de l'Eglise, et que vous ayez pouvoir de la dire à tous les moments de votre vie.» Le croyant répondait : «Je la reçois de Dieu, de vous et de l'Eglise.» Après quoi il faisait à nouveau son *melhorament* et rendait grâce à Dieu. Les fidèles — parfaits et parfaites — en présence des croyants disaient un *double*, c'est-à-dire répétaient deux fois l'Oraison dominicale, avec des *veniae* (inclinations et génuflexions). Les simples croyants participaient à ces *veniae*. Et la cérémonie prenait fin, quelquefois sur un «Baiser de paix».

Les parfaits — comme d'ailleurs les vaudois — disaient le *Pater,* le jour et la nuit, avant d'accomplir tout acte important, avant d'affronter un risque ou un danger ; seuls et en compagnie ; avant de manger et de boire. S'ils y manquaient, ils devaient en faire pénitence (rituel). Les pénitences consistaient souvent, quand il s'agissait de fautes légères, en récitations de *Pater.*

On voit quelle était l'importance de cette prière. En principe, les parfaits refusaient le *consolamentum* à ceux qui ne pouvaient pas dire le *Pater* ; ce qui surprend, car il semble que dans une religion si épurée, la prière intérieure eût dû suffire. Mais, au Moyen Age, on croyait que celui qui ne parlait pas ne pensait pas. D'autre part, les parfaits voulaient être sûrs que la prière avait été vraiment dite.

Un croyant pouvait être initié au *Pater* sans être «consolé» tout de suite après. Mais sans la Tradition préalable du *Pater*, nul ne pouvait recevoir le *consolamentum.*

Le consolamentum d'ordination

Ce baptême spirituel (opposé au baptême d'eau de Jean, que les cathares ne tenaient pas pour valable et qu'ils obligeaient quelquefois — mais pas toujours — le croyant à renier) était donné par imposition des mains selon les rites qui rapellent ceux de l'Eglise primitive, moins les éléments matériels : eau, onction d'huile. Il constituait la cérémonie essentielle du catharisme : il apportait la «consolation» du Paraclet suivant la tradition apostolique, il donnait accès aux ordres cathares. On introduisait le néophyte, accompagné souvent de l'Ancien de sa résidence et d'un parrain (qui pouvait être cet Ancien lui-même), dans la salle de réunion. Tous deux, ou tous trois, faisaient le *melhorament* devant l'Ordonné (évêque ou diacre). Il fallait que tous les assistants fussent purs ou purifiés. L'Ordonné se confessait le premier et l'Ancien l'absolvait (car, pour les cathares, le baptême donné par un ministre en état de péché était sans effet). Les fidèles se mettaient en prière — sept

Oraisons dominicales — pour que Dieu pardonne à l'Ordonné ses péchés et l'écoute favorablement.

Puis c'était maintenant au tour des chrétiens et des chrétiennes de demander à l'Ordonné le pardon de leurs fautes. Ils s'étaient tous lavé les mains symboliquement. Ils prononçaient les paroles rituelles : *Benedicite, Parcite nobis,* et l'Ordonné les absolvait en disant : «Que le Père saint, juste, véridique et miséricordieux, qui a le pouvoir dans le ciel et sur la terre de remettre les péchés, vous remette et vous pardonne tous vos péchés en ce monde et vous fasse miséricorde dans le monde futur.» Quand tous les baptisés avaient ainsi battu leur coulpe et que tout le monde était «pur» — le néophyte était, lui, en état d'abstinence —, la cérémonie proprement dite commençait.

L'Ordonné plaçait devant lui une petite table ronde et, sur une nappe blanche, entre deux cierges, le Livre des Evangiles ouvert à *l'Evangile* de Jean. Le néophyte était à genoux. Avant de recevoir le Livre des mains de l'Ordonné, il faisait trois révérences comme lorsqu'il avait été présenté à l'assemblée. L'Ordonné lui demandait alors s'il avait la ferme volonté de recevoir le baptême spirituel et s'il était prêt à pratiquer toutes les vertus par lesquelles on devient bon chrétien (le catharisme était extrêmement scrupuleux en ce domaine et ne voulait en aucune façon incliner ou contraindre la volonté des aspirants à la sainteté : en certains cas, on demandait au néophyte de formuler à plusieurs reprises son désir de devenir parfait). Selon le rituel, c'est à ce moment-là qu'il demandait, après le *melhorament*, le pardon de ses fautes, qui lui était accordé aussitôt par l'Ordonné au nom de Dieu et de l'Eglise. L'Ordonné reprenait le Livre et se mettait alors à admonester le néophyte comme dans la cérémonie d'initiation au *Pater*, en s'adressant à sa raison et à sa foi : «Sieur Pierre (par exemple, car il l'appelait par son nom), vous devez avoir bien dans l'esprit qu'en ce moment vous venez pour la seconde fois devant Dieu, devant le Christ et le Saint-Esprit, puisque vous êtes en présence de l'Eglise de Dieu [...]. Vous devez bien comprendre que vous êtes ici pour recevoir le pardon de vos péchés, grâce aux prières des bons chrétiens et par l'imposition des mains.» L'Ordonné citait beaucoup de textes scripturaires qui venaient à l'appui de la doctrine cathare; les exemples fournis par les deux rituels sont différents, mais s'accordent sur le fond.

L'officiant plaçait alors le Livre sur la tête du croyant, récitait le *Benedicite*, trois *Adoremus*, sept *Pater*, et procédait à la lecture du début de l'*Evangile* de Jean (de *In principiis* jusqu'à *Gratia et veritas per Jesum Christum facta est*). L'Ordonné disait alors : «Que le Seigneur Dieu vous pardonne et vous conduise à bonne fin», en s'adressant au croyant qui répondait : «Amen. Qu'il en soit fait, Seigneur, selon Ta parole.»

C'était maintenant l'émouvant cérémonial de l'imposition des mains, c'est-à-dire de la transmission même du Saint-Esprit. Le croyant s'agenouillait, s'inclinant un peu vers la table, devant l'Ordonné qui lui plaçait à nouveau sur la tête l'*Evangile* de Jean et imposait les mains pardessus. Et tous les autres chrétiens et chrétiennes présents imposaient aussi sur lui leur main droite (ou les deux).

Puis tout le monde se mettait en prière. On disait trois *Adoremus*, le *Pater*, le *Gratia (Gratia Domini nostri Jesu-Christi sit cum omnibus nobis)* (Que la grâce de Notre-Seigneur Jésus-Christ soit avec nous tous), des *Parcias (Benedicite, parcite nobis)*, trois *Adoremus*, encore un *Gratia* à haute voix. Il ne restait plus au nouvel initié qu'à baiser le Livre après avoir fait devant lui trois révérences : «*Benedicite, benedicite, benedicite, parcite nobis*», et à remercier Dieu, l'Ordonné et les fidèles : «Que le Seigneur Dieu, disait-il, vous donne bonne récompense de ce bien que vous m'avez fait pour l'amour de Dieu !»

Et le parfait lui répondait, pour finir : «Que la grâce de Notre-Seigneur Jésus-Christ soit avec vous tous. *Benedicite, parcite nobis. Amen. Fiat secundum Verbum tuum.* Que le Père et le Fils et le Saint-Esprit vous pardonnent tous vos péchés.» La cérémonie du *consolamentum* se prolongeait souvent par deux autres : l'*aparelhament* ou *servici* (sorte de confession publique et solennelle qui avait lieu une fois par mois) et le *Baiser de paix*. Pour M. Duvernoy l'*aparelhament* était la confession mensuelle des parfaits devant leur diacre, ou devant l'évêque, ou devant l'un de ses deux coadjuteurs (le «fils majeur» ou le «fils mineur»). Les croyants, toujours selon M. Duvernoy, pouvaient y assister. Selon d'autres auteurs, ils s'y confessaient publiquement, eux aussi. Les pénitences, pour les fautes vénielles consistaient en «doubles» et en *veniae* (série de *Pater* et de génu-flexions).

Dans le Baiser de paix, les chrétiens «faisaient la paix», les hommes en s'embrassant entre eux, les croyantes, entre elles, après que la première eût baisé le Livre sur lequel le parfait avait d'abord posé ses lèvres.

Le «*consolamentum*» des mourants

Alain de Lille, au XIIe siècle, et, de nos jours, M. Duvernoy, ont distingué avec raison le baptême des parfaits du baptême des «consolés», bien qu'ils fussent exactement semblables quant aux rites. Le baptême des parfaits marquait pour eux leur entrée dans les ordres cathares et leur renonciation volontaire aux choses de ce monde. Le baptême des consolés, donné aux mourants et aux mourants seulement, assurait à ceux-ci le pardon de leurs péchés et, s'il ne leur garantissait pas le salut, leur en donnait au moins l'expérance. Pour ces croyants, la mort était une sorte de grâce puisque, dans le peu de temps qui leur restait à vivre, ils ne pouvaient plus pécher gravement. Mais ils ne devaient pas manger ou boire sans avoir dit le *Pater*. On conçoit que des cathares, dans l'impossibilité de dire cette prière, aient préféré se laisser mourir d'inanition plutôt que de pécher (en ne disant pas le *Pater* ou de tout autre façon). Et l'on ne voit pas ce que l'on pourrait reprocher à ces chrétiens fervents qui, au témoignage de Raynier Sacconi, ne pouvant plus prier, demandaient à ceux qui les servaient de ne plus les nourrir. Cette forme de suicide mystique, appelée *endura* (en occitan . privation, jeûne) a surtout été pratiquée, vers 1270-1300, dans le comté de Foix, sous l'in-

fluence de Pierre Autier, l'un des derniers Bons-
hommes.

Si le consolé échappait à la mort, le *consolamentum*
qu'il avait reçu perdait toute valeur. Et s'il voulait devenir parfait authentique, il lui fallait se préparer à recevoir
le *consolamentum* d'ordination, beaucoup plus difficile à
obtenir et beaucoup plus méritoire.

DEUXIEME PARTIE

Littérature engagée.
Le folklore au service des dogmes

Outre les quelques traités cathares qui nous sont parvenus — dont j'ai utilisé la substance dans les chapitres précédents et dont on trouvera en appendice des extraits caractéristiques —, les cathares ont eu entre les mains d'autres ouvrages dogmatiques aujourd'hui perdus, ainsi que des recueils de citations scripturaires, où les parfaits puisaient les arguments qu'ils opposaient aux catholiques et aux vaudois dans les controverses publiques; et enfin, à l'usage du peuple, des apologues présentant sous un jour plus familier les principaux points de la doctrine.

Les registres de l'Inquisition nous ont conservé plusieurs de ces apologues ou *exempla*. Destinés aux croyants souvent peu instruits, ils sont généralement empruntés à un fonds traditionnel plus ancien, de caractère populaire (ils se sont d'ailleurs maintenus dans la littérature orale après la disparition du catharisme), ou bien à des légendes orthodoxes remontant au paléochristianisme et plus ou moins modifiées dans un sens dualiste. Ces *exempla*, sous la forme où nous les connaissons, appartiennent au début du XIVᵉ siècle, mais ils ont circulé beaucoup plus tôt, sans doute à partir du XIIᵉ siècle, et avec la même signification. Cependant, il est nécessaire de tenir compte, pour les interpréter correctement, des déformations doctrinales que leur a fait subir parfois le catharisme décadent. Leur intérêt tient à ce qu'ils comportent une explication spirituelle qui nous renseigne sur ce que la doctrine était devenue dans le temps où ils contribuaient à la répandre, et qui mettait en garde les croyants, comme elle doit mettre en garde aujourd'hui les hérésiologues, contre la tentation de prendre ces mythes trop au pied de la lettre.

Le mythe du Pélican

L'*exemplum* du Pélican est emprunté aux vieux bestiaires de tradition grecque (le *Physiologós* grec) et de tradition latine (le *Physiologus* latin); et l'on sait quel succès il a obtenu dans l'iconographie chétienne et dans la symbolique hétérodoxe : il s'est maintenu jusque dans la moderne franc-maçonnerie.

Le Pélican est une représentation de Jésus-Christ. Mais les fictions où il joue un rôle admettent toutes les orientations métaphysiques allant du monothéisme strict au dithéisme radical ou relatif. Dans les versions orthodoxes et monothéistes, le Pélican met à mort ses propres petits qui l'ont offensé (cela signifie que le Christ a été obligé de punir ses enfants, les pécheurs). Mais lorsqu'il les voit morts, le Pélican les ressuscite en les aspergeant de son sang (et cela signifie que le Christ — *Christus in Passione* — ressuscite les hommes en se sacrifiant pour eux). Dans ces *exempla*, le Diable ne joue aucun rôle, sinon comme tentateur. C'est cette tradition qui a été suivie par Epiphane, Isidore, Hugues de Saint-Victor (*De Bestiis*), Brunetto Latini; et que l'on retrouve également dans le *Bestiaire occitan*, non cathare, de la même époque. Et, de façon générale, l'iconographie chrétienne s'en inspire aussi, bien qu'en certains cas on ne puisse pas être assuré que le sculpteur n'a pas donné à son pélican une signification plus hétérodoxe. Une étude plus approfondie et moins conformiste des thèmes plastiques de l'art roman conduirait sans doute à replacer dans un contexte symbolique plus dualiste bien des «images» — l'Arbre de vie, la Licorne, le Pélican — qui ne sont pas toujours aussi catholiques qu'on l'a dit.

Le mythe cathare, tel qu'il a été retranscrit par les scribes de l'Inquisition, est assez différent de ses équivalents orthodoxes : «Le Pélican était un oiseau aussi clair que le soleil et qui suivait le soleil dans sa course. Il laissait donc souvent ses petits seuls dans le nid. C'est pendant son absence qu'intervenait la Bête diabolique. Lorsque le Pélican revenait, il trouvait ses enfants tout déchiquetés. Il les soignait aussitôt et les ressuscitait. Mais comme les Pélicans avaient été déjà mis à mort et ressuscités plusieurs fois, leur père décida un jour d'occulter sa lumière et de demeurer dans les ténèbres à côté d'eux. Quand la Bête survint, il la vainquit et la mit hors d'état de nuire.»

Il était facile de donner à cette fable la valeur d'un enseignement spirituel. Voici l'explication que fournit le cathare, dans le *Registre d'Inquisition de l'évêque Fournier* (T.I, p. 358) : «Le mauvais dieu s'acharnait à détruire les créatures bonnes que le vrai Dieu avait faites. Et cela dura jusqu'à ce que le Christ eût déposé ou caché sa lumière (*déposuit vel abscondidit*), c'est-à-dire : eût pris incarnation dans la Vierge Marie. Alors il captura le dieu du Mal et le plaça dans les ténèbres de l'enfer. Et à partir de ce temps-là le dieu du Mal n'eut plus la possibilité de détruire les créatures du Dieu du Bien».

Sans doute à l'époque de Bélibaste (début du XIVe siècle), le pouvoir du mauvais principe s'était-il un peu affaibli sous l'influence du catholicisme ou du dualisme mitigé. Mais en ce qui concerne l'essentiel, la doctrine n'avait pas tellement varié. «Il y a toujours deux principes incréés : le Bien et le Mal. Le Bien a créé les natures spirituelles, et le Mal, inférieur sous tous les rapports au Dieu du Bien et représenté sous les espèces d'une Bête, ne peut guère que détruire ou corrompre. Encore ne conserve-t-il cette puissance que tant que ne s'est pas produite l'intervention christique en faveur des créatures déchues.»

L'idée que le Pélican est un oiseau «solaire» qui suit le soleil dans sa course est sûrement de l'invention des cathares. On sait que pour eux le Christ cosmique résidait dans la lumière intelligible, dans le soleil spirituel. Et le fait qu'il occulte sa lumière est parfaitement conforme à la véritable doctrine dualiste qui enseignait que le Christ ne s'était point sacrifié ici-bas pour sauver les hommes, et que, par conséquent, il n'avait pas pris corps, matériellement, dans la Sainte Vierge. Son «sacrifice», comme le soutenaient les anciens manichéens, avait eu lieu dans le ciel et avait consisté en ce que, pour délivrer toutes les parcelles de l'esprit divin encore retenues de force par la matière, il avait consenti à s'incarner, librement, dans toute la manifestation cosmique.

Sur terre, le Christ s'était seulement adombré dans la Vierge. «Alors, dit une célèbre prière cathare, Dieu descendit du ciel avec les douze apôtres et s'adombra en la Vierge Marie. » Et, bien que l'«explication» de l'*exemplum* ait subi l'influence du vocabulaire catholique et parle d'incarnation (au sens, d'ailleurs, de manifestation dans le visible), il est évident que le cathare qui nous l'expose demeure docétiste : l'incarnation n'a été qu'apparente. Le Christ ne cache pas sa lumière pour renaître homme du sein d'une femme, mais parce que, pour vaincre le prince des ténèbres, il est nécessaire qu'il entre de quelque façon dans ses ténèbres. Pour enseigner aux hommes à vaincre à leur tour le Démon, il fallait qu'il se rendît visible et leur apparût sous une forme qui ressemblât à la leur.

Les deux dieux, ai-je dit, quoiqu'ils soient tous deux principes, ne sont pas égaux en puissance. Le bon est symbolisé ici par un oiseau solaire ; le mauvais, par une bête, dont le cathare a dédaigné de préciser les traits : a-t-il pensé au *nycticorax* (chouette) ou au serpent des antiques bestiaires ? Le catharisme se représentait d'ordinaire le Diable sous la forme du dragon de l'Apocalypse et, de toute façon, sous les apparences d'un monstre. Mais il est à remarquer que le mauvais principe est rarement évoqué figurativement : étant partout dans la création visible en perpétuelle transformation — qui est son œuvre —, il n'est en réalité nulle part. Et il y a très peu de cas où un croyant ait prétendu l'avoir vu, sinon sous les espèces d'un objet matériel, dans l'aspect insolite, par exemple, que prend brusquement un arbre...

Le Christ l'emporte doublement sur le Diable. Il a la puissance de guérir les maux que celui-ci a causés à ses créatures. Il a surtout la puissance de limiter à tout jamais sa méchanceté.

Le fer de cheval

L'*exemplum* du «fer de cheval» nous paraît plus spécifiquement cathare que les autres, en raison de la théorie réincarnationniste dont il s'inspire et qu'il met en scène.

«Un très mauvais homme, un meurtrier, était entré après sa mort dans le corps d'un bœuf que son maître traitait fort durement. Il se souvenait d'avoir été homme.

Par la suite, il passa dans le corps d'un cheval et appartint à un riche baron. Et chez lui il fut moins malheureux. Un jour, il advint que ce baron, dont le château venait d'être pris par ses ennemis, sauta sur le cheval et s'enfuit précipitamment à travers des lieux rocailleux et sauvages. Le cheval eut le sabot coincé entre deux pierres et ne put se dégager qu'en abandonnant son fer. Quelque temps après le cheval étant mort, l'esprit pénétra dans le corps d'une femme enceinte et s'incarna dans l'enfant qu'elle portait. Il grandit et, devenu adulte, eut l'*entendensa del Ben (la connaissance du Bien)* et se fit parfait. Comme il passait, un jour, avec un compagnon, près de l'endroit où il avait perdu son fer quand il était cheval, il s'en souvint et le dit à l'autre. Ils se mirent à chercher le fer et ils le retrouvèrent. »

Il y a plusieurs variantes de cet *exemplum*. Celle-ci offre une structure plus «convaincante», parce qu'elle est censée faire intervenir de nombreux témoins : «Un Bon-homme se reposait et mangeait près d'une fontaine, avec ses croyants. Il leur dit qu'il se souvenait d'avoir été un cheval et d'avoir bu à cette fontaine. Un jour que son maître l'avait éperonné trop fort, il avait enfoncé son pied dans la boue et n'avait pu l'en retirer qu'en y laissant son fer. «Voyons, dit-il, si nous pourrons le retrouver!» Tous les croyants se mirent à chercher et découvrirent le fer.» (T. III, p. 138).

Il semble que les parfaits du XIIIe siècle n'aient pas admis aussi facilement que Bélibaste la possibilité de la métempsycose animale. Pourtant, ils interdisaient de maltraiter les animaux, ce qui laisse supposer qu'ils les croyaient aptes à recevoir une âme humaine. Au début du XIVe siècle, tout le monde croit que les hommes peuvent se réincarner non seulement dans des bêtes nobles : bœuf, cheval, mais aussi dans les plus viles (sauf celles, peut-être, qui, comme la chouette, le crapaud, le serpent, passaient pour essentiellement sataniques ; on remarquera que le meurtrier, ici, ne tombe pas aussi bas). À l'époque du catharisme décadent, la croyance que le démon hantait les formes animales les plus abjectes a poussé certainement le peuple à croire aussi que des âmes absolument dégradées, et devenues semblables à des diables, pouvaient s'incarner aussi bassement qu'eux.

De tous les hérétiques méridionaux, les dualistes absolus ont été les seuls à croire en la métempsycose humaine et animale (les dualistes mitigés étaient, rappelons-le, traducianistes). La théorie réincarnationniste était absolument nécessaire à l'économie du système absolutiste, puisque la purification progressive, mais toute mécanique (sans liberté) des âmes, s'y opère par l'expérience obligatoire du mal et de la douleur au cours des vies successives. Pour se faire une idée plus complète de la diffusion de la pensée cathare au XIIᵉ et XIIIᵉ siècles, et même plus tard, il faudrait rechercher patiemment dans les littératures occitane, française, italienne et allemande du Moyen Age, toutes les propositions d'origine manichéenne ou cathare qui ont échappé, dans les refaçons subies par les poèmes et les romans, à la vigilance des scribes catholiques. Elles sont beaucoup plus nombreuses que ne le pense l'hérésiologie officielle.

Le roman de *Barlaam et Josaphat*, par exemple, rapporte un *exemplum* de la Licorne, qui diffère sensiblement des versions orthodoxes de la même époque que nous possédons et paraît remonter à un archétype très influencé par le manichéisme oriental. Il reflète de surcroît un grand nombre de théories hétérodoxes. Des phrases comme celle-ci : *E adonx yeu mi consiriey que aquest mont non era mays cant nient et vanetatz* (Et je vis aussitôt que ce monde n'était que néant et chose vaine) insérées dans un contexte où le Diable est plus agissant que dans la tradition catholique, révèlent une influence incontestable de la doctrine dualiste.

Un traité occitan des «noms de la Mère de Dieu» (fin du XIIIᵉ siècle) dissocie mystérieusement Lucifer de Satan, comme le faisaient les cathares. Le très catholique *Breviari d'Amor*, de Matfre Ermengaut (1323), fourmille de conceptions qui sentent le fagot et qu'on retrouve, identiques, dans le *Livre des deux principes*. Cela ne prouve pas que tous ces auteurs ont été hérétiques, mais que les frontières de l'hérésie n'ont jamais été très nettes. On pouvait être, en ces siècles-là, hérétique sans le savoir. Quant aux poètes, ils prenaient leur bien où ils le trouvaient, et beaucoup d'entre eux fréquentaient les milieux cathares.

Le poème italien *Il Fiore,* attribué parfois à Dante, a été vraisemblablement composé par un de ces épicuriens du XIIIe siècle, tels que furent Farinata degli Uberti et Guido Cavalcanti (que Dante a connus). Il s'inspire surtout des théories du nouvel averroïsme latin et du naturalisme moins savant du *Roman de la Rose,* mais l'anticléricalisme cathare s'y manifeste avec vigueur et le poète ne cache nullement sa sympathie pour les patarins de Florence, massacrés en 1244, l'année même où s'alluma le bûcher de Montségur.

Les mêmes investigations poursuivies, en toute liberté d'esprit, dans la poésie allemande du Moyen Age, donnent de meilleurs résultats encore. Il me paraît difficile de ne pas relever des traces de catharisme dans l'œuvre de Gottfried von Strassburg, dans les invectives antipapales de Walther von der Vogelweide, et surtout dans le *Parzival* de Wolfram d'Eschenbach qui remonte, pour certains de ses développements, à un original iranien (manichéen). Quand on fait réflexion que, pour de nombreux clercs du Moyen Age (dont le plus célèbre est Berengier de Tours, 1081), il était devenu impossible d'admettre dans la même unité métaphysique, et par conséquent dans l'hostie consacrée, la coexistence de l'esprit et de la matière, de la lumière et des ténèbres, de la Rédemption et du péché, on est assez enclin à reconnaître, avec M. Leonardo Olschki, que le Graal, le réceptacle lumineux, n'a point d'autre fonction que de procurer au pénitent la nourriture de nature spirituelle, et sanctifiée par la lumière à laquelle le Dieu bon et transcendant s'identifie et qui le manifeste. L'hostie du Graal fait penser au pain consacré qui était rompu et distribué aux fidèles dans les banquets sacramentaux qui constituaient l'une des rares cérémonies cathares, et où, sans prêtre, sans autel et sans autres rites, on invoquait seulement Jésus-Christ comme médiateur entre le Dieu de Lumière et l'humanité pécheresse dominée par le dieu des Ténèbres.

Les troubadours

Les cathares et les troubadours ont vécu côte à côte pendant plus de deux siècles dans les mêmes régions occitanes, notamment dans les comtés de Toulouse et de Foix, et dans le vicomté de Carcassonne. Ils participaient à la même civilisation, étaient engagés dans la même société (souvent dans le même système de dépendance vassalique) : leurs intérêts se confondaient parfois ; ils avaient les mêmes protecteurs. Dans les châteaux, Bons-hommes et poètes avaient le même auditoire de barons et de nobles dames. Leurs conceptions ou idéologies respectives — bien que très opposées quant au fond — présentent des ressemblances indéniables ou plutôt, sur quelques points particuliers — en ce qui concerne le problème du mariage, par exemple —, une sorte de convergence.

Par ailleurs, nous savons que plusieurs troubadours ont attaqué Rome, l'Eglise, les ordres religieux dans maints poèmes satiriques, que d'autres — ou les mêmes, quelquefois — ont servi par les armes la cause des barons cathares ou amis du catharisme et qu'après leur défaite ils les ont suivis dans l'exil. Il n'est donc pas sans intérêt de s'interroger sur la nature des relations théoriques ou de fait qui ont pu s'établir, avant, pendant et après la croisade, entre les cathares et les troubadours, encore qu'il soit difficile, dans l'état actuel de nos connaissances, de donner une réponse définitive à cette question, parce que la notion même de troubadour, en tant que telle, c'est-à-dire considérée indépendamment des milieux très divers auxquels appartiennent ces poètes, n'a aucune signification sociologique. Relativement peu nombreux, ils ne formaient point une classe «sociale».

L'amour et l'hérésie

On peut se demander si la doctrine amoureuse des troubadours, prise dans son ensemble, n'aurait point été, comme l'ont avancé quelques écrivains modernes, une sorte d'interprétation poétique et symbolique des aspirations religieuses du néo-manichéisme, voire de ses préoccupations politiques. Le livre de Rossetti paru en 1840, *Il mistero del Amor platonico del medio evo* — qui se proposait de démontrer que les poèmes de Dante et ceux des *Fedeli d'Amore* avaient été composés dans un intérêt philosophique et politique et qu'ils n'exprimaient, sous le voile de l'allégorie amoureuse, que les opinions et les espérances des antipapistes, impérialistes et gibelins — a exercé une énorme influence sur de nombreux écrivains (dont Napoléon Peyrat) qui se mirent à chercher aussi la clé de l'Amour provençal dans l'ésotérisme cathare. Il n'est certes pas absurde de voir dans la floraison lyrique du XIIᵉ siècle, très socialisée et ritualisée — car les *cansos,* sous leur diversité formelle, répètent inlassablement les mêmes thèmes — la mise en œuvre d'une espèce de mystique profane. Mais cela ne signifie pas, n'implique pas qu'elle soit d'essence cathare.

J'ai montré naguère, dans *l'Erotique des troubadours,* que l'intention de ces poètes avait toujours été de «purifier» l'Amour de tout ce qu'il n'est pas par nature, et non point, comme le veut, par exemple, le platonisme, de le détacher complètement de la sexualité. Dans ces perspectives et selon le vœu inconscient de leur époque, il est exact qu'ils ont souvent tenu l'amour conjugal pour «vénal», utilitaire, et situé — implicitement — le véritable amour hors du mariage. Ils croyaient sans nul doute que toute union fondée sur l'intérêt et la soumission forcée de la femme au mari était incompatible avec le sentiment cordial, lequel, par conséquent, ne pouvait se développer que dans l'adultère (moral, en principe, mais plus ou moins charnel, en fait). Dans la mesure où les cathares acceptaient le mariage — on sait qu'ils ne l'interdisaient pas aux simples croyants —, il est probable, à en juger par quelques exemples fournis par le *Registre d'Inquisition de l'évêque Fournier* (XIVᵉ siècle), qu'ils s'en faisaient une conception assez semblable à celle que préfigure l'érotique troubadouresque, c'est-à-dire plus bienveillante pour l'épouse et plus favorable à l'égalité des sexes. En revanche, dans la mesure où les Bonshommes, qui le rejetaient absolument pour eux-mêmes, ne le toléraient chez les fidèles que comme un pis-aller, ils le discréditaient, en fait, mais pour d'autres raisons que les troubadours : ils professaient que l'œuvre de chair accomplie dans le mariage ou hors du mariage — bien qu'en certains cas elle pût s'insérer dans le plan divin (en assurant, par exemple, les réincarnations nécessaires à la purification des âmes) — était en elle-même de nature satanique. Cathares et troubadours ne s'accordaient donc, ici, que par accident et non point dogmatiquement.

Que l'admiration pour la beauté féminine et l'exaltation de *Fin'Amors* aient suscité, surtout chez les troubadours de la génération de 1150, un type de femme tellement idéalisé que certains critiques modernes ont cru y voir une représentation de la Sainte Vierge, cela ne suffit pas à colorer les «chansons» de mysticisme ou de platonisme. Les plus obscures subliment excessivement l'Amour, mais elles ne deviennent pas «ésotériques» de ce fait ; ou, si elles renferment un ésotérisme, c'est celui qui correspond au seul mystère de l'amour humain. La femme ne symbolise jamais, chez les troubadours, la Sainte Vierge, ni la sagesse, ni la gnose, ni l'Eglise cathare : elle ne renvoie qu'à sa propre image transfigurée et toujours prête, d'ailleurs, à retomber aux réalités terrestres. Quand on rêve de spiritualité cathare à propos des *cansos,* c'est qu'on prête plus ou moins consciemment à la poésie des troubadours des caractères qui n'appartiennent qu'à celle, plus tardive, des Italiens du *dolce stil nuovo,* dont l'art procède bien de celui des Provençaux, mais qui prit de bonne heure des voies très différentes. On a peut-être exagéré aussi les préoccupations ésotériques des Italiens ; cependant, il faut reconnaître que, dans leurs poèmes, l'amour est vraiment plus épuré et plus platonicien : la dame adorée y donne plus facilement l'impression qu'elle symbolise un être surnaturel ou de raison, ou tout simplement l'essence féminine sacralisée par la mort. Ces femmes qui meurent si jeunes sont honorées comme des anges et, projetées *post mortem* dans le ciel des idées, elles sont effectivement surnaturelles en tant qu'âmes. La lyrique provençale ne célébrait, elle, que de « rieuses » et bien vivantes châtelaines.

L'émancipation de la femme

Ce sont là des constantes de la nature humaine qui n'ont guère varié avec les époques. Le phénomène social nouveau, c'est que, pour la première fois, deux doctrines — l'« Amour » et le catharisme — tendaient à libérer la femme en neutralisant la notion de péché charnel. Amour n'est pas péché, mais vertu, disaient les troubadours.

Il est toujours péché, disait le catharisme, mais pas pour les simples croyants.

Les femmes vont profiter de ce double enseignement pour revendiquer le droit d'aimer à leur guise. « Toute dame, voire la plus honnête, affirme la comtesse de Die, peut aimer, si elle aime. » Et elles voient désormais dans l'amour ainsi compris le moyen d'affirmer leur indépendance vis-à-vis de la « potestas » masculine. Elles jouent au libre amour « pour faire comme les hommes » et pour se venger aimablement avec les uns de la tyrannie jalouse des autres.

Les registres de l'Inquisition nous montrent des femmes peu prudes et bien décidées, après avoir subi les brutalités des goujats, à ne plus suivre désormais que leur intérêt ou leur fantaisie. Béatrice de Planissoles ne résiste plus aux hommes qui lui plaisent. Une autre jeune femme, Grazida, que le curé de son village a déflorée quand elle avait treize ans et qu'il a mariée à un brave homme du nom de Pierre Lizier, n'a plus la moindre notion du péché d'amour. Ses paroles font écho à celles de la comtesse de Die, comme la pensée d'une bergère répond à celle d'une femme de lettres.

« En vous donnant à un prêtre avant d'être mariée, lui demande l'Inquisiteur, et ensuite, alors que vous l'étiez, croyiez-vous pécher ? — Comme à ce moment-là cela me plaisait et plaisait à ce curé, répondit-elle, je ne croyais pas — et ne crois pas non plus maintenant — que c'était un péché. Mais aujourd'hui, comme cela ne me plaît pas, si j'avais des relations sexuelles avec lui, je croirais pécher... Bien que toute union charnelle de l'homme et de la femme déplaise à Dieu, je ne crois pas pourtant qu'ils commenttent un péché, si cela est agréable à l'un et à l'autre.»

Le libertinage a incontestablement constitué pour les femmes aux XIIIe siècle, au même titre que l'ascétisme mais en sens inverse, une protestation inconsciente contre l'ordre social qui les brimait et surtout contre le mariage inégalitaire, à direction masculine. Elles n'avaient le choix, si elles voulaient affirmer leur autonomie, qu'entre la voie ouverte par les troubadours : valorisation totale de la liberté amoureuse, assortie de l'idée que l'amour n'est pas un péché, et la voie conseillée par les Bons-hommes : ascétisme et perfection.

Les troubadours de l'époque «albigeoise»

Tant que la société occitane ne fut pas menacée par la guerre et les persécutions, les troubadours ne s'occupèrent que d'amour et de courtoisie. Ils ne prêtèrent attention aux problèmes religieux que lorsque les événements consécutifs à la croisade eurent ruiné les petites cours qui les faisaient vivre et dispersé leur public (ils deviennent alors citadins). Raimon de Miraval, dont la famille était cependant cathare, continue encore, sous l'orage, à chanter tranquillement les dames. Quand il prend conscience du désastre, c'est pour se raccrocher à l'espoir que le comte de Toulouse lui rendra son château et que reviendra, avec la victoire, «le temps où dames et amants pourront recouvrer le *Joi* qu'ils ont perdu»! Sans doute, des désirs de revanche politique les agitent parfois, mais s'ils se montrent assez combatifs — un Bernart de Rouvenac, par exemple —, c'est rarement au nom de purs idéaux religieux. Même chez les graves moralistes comme Peire Cardenal et Montanhagol, qui montrent dans leurs poèmes des sentiments de charité et d'humanité dépassant de beaucoup leur temps et les circonstances, on est surpris de voir que leur désespoir, leur pessimisme se confondent avec le regret d'une époque disparue où le luxe vestimentaire, la prodigalité des grands seigneurs, le cérémonial de l'amour courtois constituaient les bases objectives de la société aristocratique qui leur avait fait, à eux et aux jongleurs, une si belle place.

Tout cela signifie que les intérêt des troubadours étaient liés, sociologiquement parlant, à ceux de la noblesse méridionale ; et qu'ils n'étaient enclins, sauf exceptions, à défendre le catharisme que dans la mesure où celle-ci, directement ou indirectement, avait cru devoir prendre parti pour lui. C'est donc par la force des choses que les derniers troubadours, la quasi-totalité peut-être, car il n'en restait plus beaucoup, après 1250, aux côtés de Peire Cardenal et de Montanhagol, se sont retrouvés dans le camp des adversaires de l'Eglise et des Français, condamnés à suivre le sort des seigneurs spoliés ou menacés de l'être et sans la protection desquels ils n'auraient eu aucune existence sociale. Car, je l'ai déjà dit, ni les troubadours ni les jongleurs, peu nombreux et relativement isolés, n'ont jamais formé de classe indépendante. Et il va de soi que ni l'Amour en tant que système courtois, ni les poètes, en tant qu'ils en étaient les servants attitrés, n'ont eu à intervenir dans ces conflits idéologiques et politiques qui opposaient à Rome le catharisme, aux seigneurs du Nord les seigneurs du Midi.

Le catharisme moral

Cependant, quand on relit les poèmes des derniers troubadours — ceux qui se rattachent à la période dite « albigeoise » —, on découvre de-ci de-là, en dehors des traits de satire morale et politique, des conceptions qui portent indiscutablement la marque de la pensée cathare. Cela vient de ce que la persécution avait mis en contact, à la cour de Toulouse, par exemple, les poètes avec les « résistants », les mondains avec les parfaits, au sein de la même clandestinité. Un Peire Cardenal, un Montanhagol, même s'ils n'étaient pas croyants, baignaient, à Toulouse et ailleurs, dans l'atmosphère réformiste, voire révolutionnaire, de l'hérésie. Peire Cardenal était très lu par les cathares. Au temps de l'évêque Fournier, un croyant du comté de Foix est encore capable de réciter par cœur la première strophe de la terrible satire de Cardenal contre les clercs («Les clercs se donnent pour des bergers, mais ce sont des assassins»). Une telle diffusion de son œuvre ne saurait s'expliquer que par le fait que, pendant la première partie de sa vie tout au moins, s'il n'a pas été officiellement cathare, il a eu la réputation de l'être. Il passait pour être un «ami de l'hérésie», un «ami de Dieu». Par la force des choses, lui-même devait retenir et utiliser les lieux communs de l'hérésie, les prières qu'il entendait souvent citer et réciter dans les milieux où il évoluait et, très certainement, dans l'entourage même de Raimon VI. Ce n'est point par hasard que dans un de ses poèmes (*Au nom du Seigneur Droit*), où il invoque le Dieu légitime, le vers 43 (Donnez-moi le pouvoir d'aimer ce que vous aimez!) fait curieusement écho — comme l'a fort judicieusement remarqué Mme Lucie Varga — aux paroles si caractéristiques de la prière bien connue : «Donne-moi à aimer ce que tu aimes.» Ces formules stéréotypées, souvent très belles, pouvaient d'ailleurs frapper le troubadour par leur seule valeur poétique. Car sa doctrine ne présente aucune unité : les principes les plus orthodoxes y voisinent avec des propositions qui, en d'autres circonstances, l'eussent mené au bûcher. Ce qui l'intéresse, c'est le rigorisme moral; c'était là, surtout, son «hérésie». Comme le dit Mme Lucie Varga, «quand nous entendons parler de morale austère, nous pouvons être sûrs de marcher sur un terrain hérétique». En vérité, il tient à rester un moraliste libre. Son anticléricalisme s'appuie sur des pensées hérétiques, uniquement lorsqu'il veut donner plus de force à sa satire. Pour le reste, il est bon chrétien. Il est vrai qu'il se croyait peut-être meilleur chrétien encore quand il adoptait certains points de vues dogmatiques dualistes. Le stupéfiant *sirventès* adressé à Dieu — l'un des plus hardis que le Moyen Age ait osés — est, sans contredit, hérétique d'un bout à l'autre : « Renvoyez-moi, Seigneur, là d'où je suis venu le premier jour, ou pardonnez-moi mes péchés, car je ne les aurais pas commis si auparavant je n'étais pas né ! » « Dieu commet une faute contre les siens, s'il se propose de les détruire ou de les damner. » Ces derniers vers ne tendent à rien de moins qu'à ôter à l'homme toutes responsabilité, selon la théorie même que soutenait à peu près à la même époque le *Livre des deux principes* de Jean de Lugio.

Il faut bien en conclure que vers la fin du XIIIe siècle, sous l'influence de catharisme, beaucoup de bons esprits professaient ouvertement que le vrai Dieu, le Dieu du Bien ne pouvait pas condamner les pécheurs : il ne pouvait que sauver ses créatures. Et cela pour deux raisons : d'une part, il n'y a point de Mal en Dieu et la « Justice » (la vengeance) en tant que telle serait un mal. D'autre part, l'homme ne pèche pas librement. C'est le Diable qui fait le mal en lui. C'est, par conséquent, le Diable seul qu'il faut détruire. Ces deux idées avaient naturellement pour corollaire la croyance que l'enfer est sur cette terre, où la créature est asservie au Démon, et non point ailleurs. « Si j'ai du tourment ici-bas, dit Peire Cardenal, et si en enfer j'en avais encore, ce serait, selon ma foi, tort et péché ! »

On voit donc se répandre vers la fin du XIIIe siècle, et surtout à Toulouse dans les milieux cultivés, une sorte de catharisme diffus, orienté surtout vers la morale, qui gagne à sa cause aussi bien les réformistes catholiques que les anticléricaux. De l'hérésie on ne retient que les deux ou trois grands principes dont j'ai parlé : « Dieu ne peut pas faire le mal, l'homme n'a point de libre arbitre. Il fait le mal nécessairement et le bien, nécessairement aussi, quand il s'est purifié de la matière. » La véritable hérésie, c'était alors l'affirmation de la Nécessité. Le troubadour Montanhagol pense exactement là-dessus comme Peire Cardenal : « Le méchant, dit-il, ne commet pas une faute quand il fait le mal, parce que c'est une nécessité pour lui de faire le mal, comme pour le bon de faire le bien. »

Le catharisme se simplifiait et, en même temps, s'élargissait ou s'approfondissait. Tandis que dans le peuple des campagnes, en Languedoc et dans le comté de Foix, il évoluait rapidement vers un matérialisme vulgaire, il est probable qu'il y avait à Toulouse, vers 1250, dans les milieux aristocratiques, beaucoup de jeunes seigneurs plus épicuriens que chrétiens, et peut-être secrètement athées, pour qui le catharisme n'était plus guère, sans qu'ils en eussent peut-être conscience, qu'un averroïsme déguisé. Ce phénomène moral se produisit à Florence à peu près à la même époque et y donna lieu au même syncrétisme «amoureux», poétique et philosophique

Un ésotérisme philosophique

La philosophie cathare a quelque peu varié dans l'espace et dans le temps. Les théories de l'Italien Jean de Lugio (1240) ne sont pas tout à fait les mêmes que celles de l'Occitan Bartholomé (1220). On sait que Jean de Lugio passait pour avoir apporté sur quelques points des innovations au dualisme absolu traditionnel. Le catharisme décadent de la fin du XIIIe siècle et du début du XIVe — celui des derniers parfaits du comté de Foix — s'écarte considérablement du catharisme professé en Languedoc à la veille de la croisade contre les Albigeois. Enfin, en ce qui concerne l'essence même du dualisme, nous avons vu que les hérétiques étaient partagés en deux grandes tendances : les uns, monistes, somme toute, à la façon des catholiques, croyaient que le Mal avait eu un commencement ; les autres, qu'il était un Principe sans commencement ni fin : il y avait des dualistes absolus et des dualistes mitigés.

Je ne cache pas que ces variations et différences ont été souvent fort exagérées. Certains hérésiologues font preuve d'un historicisme un peu étroit quand ils décrètent, souvent sans raisons décisives, qu'une doctrine attestée en 1220 doit être *a priori* très différente d'une autre datant de 1240, comme si dans cette marge de vingt ans — celle qui sépare Bartholomé de Jean de Lugio, par exemple — les idées métaphysiques avaient pu tellement évoluer. Quant aux distances géographiques, elles ne paraissent pas, non plus, avoir séparé entre elles les diverses écoles dualistes aussi radicalement qu'on l'a dit. Il est de mode, aujourd'hui, de mettre entre le *Traité cathare* de Bartholomé et le *Livre des deux principes* de Jean de Lugio plus de différences qu'il n'y en a en réalité : il n'est guère possible, d'ailleurs, que les divers systèmes dualistes, étant donné leur structure assez rigide, s'écartent beaucoup de leur formule idéale commune et, par conséquent, les uns des autres.

En vérité, c'est plutôt l'accord des deux seuls traités cathares que nous possédons, sur tous les points importants de la doctrine, qui doit nous frapper : Bartholomé et Jean de Lugio pensent exactement de même sur la notion de création. La création, pour eux, s'opère à partir d'une matière préexistante ou de la substance même des Créateurs, et non point à partir du néant; elle est toujours *creatio ex essentia Dei* — ou *Diaboli* —, et jamais *creatio ex nihilo.* Ils mettent tous deux en opposition, et à peu près dans les mêmes termes, la Nature maligne et la Nature bonne, la première étant visible, transitoire, vaine et corruptible, et la seconde invisible, éternelle, incorruptible.

On trouve enfin la même similitude de vues en ce qui concerne le problème du libre arbitre. Pour démontrer qu'il n'y a pas de libre arbitre — ou qu'il est fallacieux —, Jean de Lugio use d'arguments fort intelligents qui n'ont guère été perfectionnés après lui. Bartholomé n'en parle pas (ou, du moins, la partie de son ouvrage qui lui était peut-être consacrée ne nous a pas été conservée), mais comme les hérétiques du comté de Foix, à la fin du XIIIe siècle, se servaient pour le rejeter des mêmes arguments que ceux que Jean de Lugio avait mis en forme (un certain Bernard Franca, par exemple, les répète mot pour mot) et qui circulaient en Languedoc depuis longtemps déjà, il faut en conclure nécessairement ou bien que ces cathares attardés avaient lu Jean de Lugio — ce qui est peu probable — ou bien qu'ils avaient lu le traité complet de Bartholomé ou un autre du même genre; et, de toute façon, que ces docteurs languedociens pensaient la même chose que Jean de Lugio sur le libre arbitre, à savoir qu'il était mensonger.

Ce sont toutes ces concordances qui autorisent à faire véritablement état d'une «philosophie» cathare reflétant les exigences fondamentales de tout système dualiste cohérent. Sans doute Jean de Lugio les a-t-il exprimées avec plus de rigueur que Bartholomé qui se borne à accumuler, à l'appui de sa thèse, les autorités scripturaires. Avec le traité de Bartholomé, dont il ne reste d'ailleurs que des fragments, le *Livre des deux principes* — ou plutôt la collection de petits résumés qu'on appelle ainsi, car l'ouvrage même de Jean de Lugio est perdu —, est le seul témoignage que nous possédions de la pensée cathare. Mais on peut faire l'hypothèse, fort vraisemblable, qu'il a existé bien d'autres écrits dogmatiques à l'usage des pasteurs et même des simples croyants.

Il est probable qu'en Languedoc jusqu'en 1240-1244 et en Italie jusqu'au début du XIVe siècle, le catharisme n'a jamais manqué de parfaits suffisamment instruits pour assurer à la doctrine une certaine cohérence intellectuelle. Les théories que Bernard Franca, clerc de Goulier, déclare en 1320, devant l'évêque Fournier, avoir adoptées quelques années plus tôt, sont solidement étayées et ne se ressentent nullement du folklore, alors très dégradé, de l'hérésie. Et ces idées n'avaient pas fait brusquement leur apparition en 1300 : elles avaient toujours régné dans les milieux cultivés et chez les clercs. On a remarqué, avec raison — et Moneta de Crémone, le premier —, que les cathares nourrissaient leur argumentation de formules d'allure aristotélicienne. Des propositions du genre de celles-ci : «A choses contraires, principes contraires» — plus ou moins bien comprises et assimilées; et d'ailleurs peu compliquées — conduisaient tout droit au dualisme et surtout à leurs conséquences logiques dont il était facile de faire l'application aux phénomènes d'ici-bas : «Le monde visible est variable et corruptible, *donc* il ne peut avoir pour auteur un Dieu éternel et incorruptible.» Les cathares du comté de Foix étaient-ils disciples d'Aristote sans le savoir? Répétaient-ils, en les simplifiant, les leçons de quelques clercs qui avaient une vague teinture d'Aristote ou qui le connaissaient par les divers traités que le Moyen Age avait mis sous son nom? Le problème demeure obscur. Mais ce qui est certain, c'est que beaucoup d'hérétiques étaient capables de redécouvrir les premiers éléments d'une philosophie rationnelle.

L'influence d'Aristote est surtout visible chez Jean de Lugio : elle apparaît dans tous les développements un peu solides du *Livre des deux pricipes,* notamment dans ceux qui concernent le libre arbitre, où les principes du philosophe sont le plus intelligemment et le plus efficacement utilisés. Voici l'un des arguments de Jean de Lugio contre le libre arbitre : «Il semble impossible aux yeux des sages que quelqu'un puisse avoir la puissance de deux contraires en même temps et à la fois» (c'est-à-dire : qu'il puisse faire le bien tout le temps et le mal tout le temps). Voici la proposition correspondante d'Aristote telle qu'elle figure à peu près dans les mêmes termes dans la *Métaphysique* (thêta, 5) : «C'est pourquoi une puissance ne saurait produire en même temps, le voulût-on ou le désirât-on, deux effets — ou des effets — contraires... Il n'y a pas une puissance pour les produire simultanément.»

Autrement dit, le choix n'existe pas puisqu'une même cause — intention ou situation — ne peut engendrer des effets, ou des actions, contraires : on n'a jamais que l'illusion de choisir.

La nature maligne

Les dualistes mitigés et les dualistes absolus croyaient que le monde matériel et visible avait été créé par un être imparfait. Sur ce point, ils s'écartaient beaucoup de l'orthodoxie pour laquelle c'est un Dieu unique et bon qui a tout créé. Les dualistes absolus, surtout, qui enseignaient que le Diable avait été le facteur unique de la matière et des corps, et non pas, comme le soutenaient les dualistes mitigés, le simple organisateur du cosmos et, en quelque sorte, le collaborateur de Dieu. Sans doute, à une époque assez tardive et sous l'influence du catholicisme et du dualisme mitigé, le catharisme populaire tempéra-t-il un peu son «absolutisme»; il fit des concessions : n'y a-t-il pas, disaient les gens du peuple, de bonnes et de belles choses ici-bas ? La présence même des âmes et des Bonshommes sur cette terre n'est-elle pas un bien? Est-ce vraiment le Diable qui fait fleurir et grener les plantes utiles et innocentes? Et il faut reconnaître que la théorie qui faisait de cette terre un «enfer» se heurtait à mille objections pratiques, dans la mesure surtout où les dualistes absolus avaient oublié que ce monde-ci était, en réalité, comme Mani l'avait démontré, un mélange d'effets contraires. Aussi bien ce n'était point tellement dans ces effets visibles, ces hasards contradictoires, que le monde matériel était réputé mauvais, mais dans son essence. La création diabolique est une fausse création; elle est vaine (c'est-à-dire sans fondements authentiques), transitoire (soumise à des changements incessants), corruptible (c'est-à-dire tendant au néant). Une seule phrase de Bartholomé résume ses caractères : « Les créatures que l'on peut voir en ce monde, dit-il, sont mauvaises, vaines, corruptibles, et de même qu'elles sont venues du néant, elles retourneront au néant » (*Et prorsus sicut de nihilo veniunt, in nihilum revertura*). Chez Jean de Lugio, la création maligne présente la même imperfection ontique : elle ne comprend que « des choses mauvaises, vaines, transitoires » (*mala, vana et transitoria*) : elle n'est point fondée dans l'Etre; visible, elle n'a de réalité que pour les sens matériels créés par le Diable. Elle n'a rien de commun avec celle que lui opposent Bartholomé et Jean de Lugio, le monde célestiel et invisible, où n'habitent que des entités éternelles et incorruptibles.

Le verset I, 4 de Jean

Comme les dualistes absolus vénéraient tout particulièrement l'*Evangile* de Jean, il était nécessaire qu'ils y vissent — ou qu'ils y missent — une signification dualiste. Le verset I, 4 dit : « *Tout ce qui a été fait, en Lui (Jésus-Christ) [...] était la Vie et la Vie était la lumière des hommes.* » Ce qui établit que tout ce qui existe a été fait en Jésus-Christ et, par conséquent, que rien n'a été fait par le Diable; et donc, qu'il n'y a qu'un seul créateur. Les cathares comprenaient le verset tout autrement, en déplaçant la ponctuation : « Tout ce qui a été fait en Lui — était la Vie. » Et cela signifiait pour eux : « (Seulement) cela qui a été fait en Lui était la Vie », étant ainsi bien entendu qu'il y avait d'autres choses qui avaient été faites par le Diable (et qui n'étaient pas la Vie, mais la Mort). La traduction catholique actuelle est très claire et, naturellement, pas dualiste du tout : « De tout être, il était la Vie. » Celle des cathares était très claire aussi, à sa façon, et, naturellement, tout à fait dualiste : *Co qu'es fait en Lui — era vida* (Cela [seul] qui a été fait en Lui, était vie).

Le principe du Mal

Mais ce principe du Mal, quel est-il? Il ne coïncide pas absolument avec la matière, et c'est là un des points sur lesquels le catharisme se distingue du manichéisme ancien. Mais le Diable et la matière ne s'en trouvent pas moins dans un rapport étroit. Ou bien la matière a créé le Diable (comme dans l'ancien manichéisme où il apparaît parfois comme une sorte de faux esprit suscité par le jeu aveugle des éléments), ou bien le Diable a créé la matière qui, de toute façon, est inséparable de lui. Chez les dualistes absolus, il semble qu'il y ait eu, en ce qui concerne l'éternité de la matière, deux tendances divergentes. Les uns, influencés peut-être par le catholicisme (ou le dualisme mitigé), professaient que le monde aurait une fin ; les autres, qu'il était éternel. Je crois que la doctrine véritable et fondamentale est celle qui postule son éternité : *Quod mundus semper fuit et semper erit* (Que le monde a toujours été et existera toujours). Elle trouvait son fondement dans le fait que chaque créateur a tiré sa création de sa propre substance et que celle-ci par conséquent, lui est coéternelle. D'après Moneta, le dualiste absolu Tetricus, dont il avait lu les ouvrages, enseignait que les âmes existaient de toute éternité et étaient *coaevae Dei*, «du même âge que Dieu». En était-il de même des entités ou des choses créées par le Diable? Sans doute, puisque Raynier Sacconi nous dit de son côté, dans sa *Summa de Catharis,* que les créatures, dans le système de Jean de Lugio, sont à l'égard de leur créateur «dans le même rapport que les rayons à l'égard du soleil». Il y a donc quelque apparence que les théories communes à Tetricus et à Jean de Lugio aient été adoptées par la grande majorité des dualistes absolus. Ce sont elles, en tout cas qui s'accordent le mieux avec les théories de la création qui figurent à la fois dans Bartholomé (1220) et Jean de Lugio (1240), et qui sont le mieux adaptées à la structure interne du dualisme. On peut d'ailleurs concilier aisément l'opinion de ceux qui croyaient à une fin du monde avec l'opinion de ceux qui n'y croyaient pas. Certains dualistes ont sans doute conçu la fin du monde comme une dissolution de cet univers où sont étroitement mélangées les créations antagonistes des deux principes du Bien et du Mal. Dans cette optique, les âmes libérées s'installeraient alors dans une sorte de Jérusalem céleste, incorruptible et lumineuse. Mais l'enfer n'en demeure pas moins comme l'habitat naturel du démon. Nous avons déjà signalé que, pour certains cathares, c'est la terre elle-même qui, après le départ des âmes pures, deviendra l'enfer et le refuge des entités à jamais maudites. Dans les deux cas, le catharisme assigne à la matière, ainsi qu'à Satan, son créateur, une durée éternelle. Par ce biais, le Diable cathare rejoint donc celui du manichéisme : sans être complètement identifié à la matière, Satan est à jamais lié à elle.

Pourtant, il est souvent conçu comme un *esprit* — mais surtout, il est vrai, dans les mythes —, comme une sorte d'ange rappelant le Lucifer du catholicisme et du dualisme mitigé (dont il a sûrement subi l'attraction). Mais il a hérité aussi de l'état de déchéance auquel le dualisme mitigé avait réduit le deuxième Fils de Dieu, Lucifer, jadis bon et devenu mauvais. Et, ici encore, il est impossible de ne pas penser à l'archange déchu du christianisme et de saint Augustin.

De même qu'il y a tous les degrés intermédiaires, dans l'orthodoxie chrétienne, entre l'ange rebelle et la bête, il a sans doute existé bien des conceptions hétérodoxes tendant à diminuer l'écart qui séparait le dualisme absolu du prétendu dualisme mitigé. Les deux tendances réagissaient l'une sur l'autre. La notion d'archange rebelle faisait du principe une sorte d'esprit ; mais la problématique absolutiste selon laquelle «nul être ne peut changer, devenir mauvais, s'il n'a pas subi l'effet d'une cause», influençait aussi les dualistes mitigés qui voyaient bien que l'invention de la liberté ne suffit pas à expliquer l'apparition du mal, s'il n'y a pas, déjà présente, une cause pour incliner le choix. «Jamais, dit Jean de Lugio, le mal n'aurait pu procéder spontanément de la créature du Dieu bon considérée comme telle, s'il n'y avait pas eu une cause du mal extérieure à elle.» Aussi vit-on les dualistes mitigés de Concorezzo ajouter une rallonge ésotérique (ésotérique, puisqu'ils l'appelaient eux-mêmes «un secret») à leur croyance exotérique en la corruption spontanée de l'ange rebelle. Ils soutenaient, en secret, que Lucifer, créé bon, était devenu mauvais sous l'influence d'un véritable principe du Mal, qu'ils se représentaient, dans leurs mythes, sous la forme d'un monstre chaotique — le chaos est le milieu, et même l'état naturel du mauvais principe — ayant quatre faces, celle d'un homme, d'un oiseau, d'un poisson et d'une bête. Naturellement, on néglige toujours ce texte, pourtant essentiel, qui permet de réduire les différences entre dualistes absolus et mitigés, et surtout de mieux saisir la nature du mauvais principe. A ma connaissance, ce monstre est la seule image que les cathares nous aient jamais transmise du principe malin. Il est paradoxal qu'elle figure dans un texte émanant du dualisme mitigé! Il s'agit bien ici d'un principe : il n'a jamais eu de commencement. C'est un esprit «mauvais» ou de mauvaise qualité (*nequam*), un esprit lié au chaos où il réside, et n'ayant aucune puissance de créer (*Et manebat in hoc Chaos, nullam habens potestatem creandi*). Il serait difficile de tenir ce mauvais principe pour égal en puissance au vrai Dieu... Il n'a que le pouvoir de séduire ou de corrompre Lucifer, encore bon, mais prédestiné vraisemblablement à ne pas le rester longtemps. Il ne peut rien opérer dans l'ordre existentiel qu'avec l'aide d'une essence créée par le Dieu bon.

C'est sous ces apparences matérielles que les dualistes absolus se représentaient le véritable principe du Mal.

Certains, ceux de l'école de Jean de Lugio, par exemple, soucieux de s'exprimer d'une façon plus philosophique, allaient même jusqu'à dédoubler le mauvais principe de façon à tenir les diables et les «dieux» pour de simples émanations de la Racine du Mal, et à situer celle-ci dans un au-delà infiniment reculé et inconnaissable. Jean de Lugio affirme que Satan n'est qu'un être «dérivé» du mauvais principe, qui est lui-même tout autre chose. «Nul, en ce monde, ajoute-t-il, ne peut nous montrer ce dieu mauvais d'une façon visible et temporelle — pas plus, d'ailleurs que le Dieu du Bien.» Mais par les effets on connaît la cause. Ici l'effet est le même que le principe, qui semble n'être pour Jean de Lugio que l'idée abstraite de corruption universelle. Cette façon de dédoubler le mauvais principe en «personnage-cause» et «personnage-effet» est signalée par Raynier Sacconi dans le *Livre des deux principes* de Jean de Lugio (dont nous n'avons qu'un résumé). Dans la partie de sa *Summa de Catharis* où il rend compte des opinions de Jean de Lugio (*De opinionibus Johannis de Lugio*), il nous apprend que, pour ce dernier, le monde était l'œuvre du Diable ou plutôt «du père du Diable». Si Jean de Lugio a su donner une expression philosophique assez rigoureuse à cette idée, dans le résumé qui nous a été conservé de son livre, il ne l'a pas inventé. Ce qui montre bien que, sur ce point encore, il a peu innové, se contentant le plus souvent de rationaliser des conceptions traditionnelles.

Les dualistes absolus ont toujours eu coutume de distinguer du Diable, le «père du Diable». On lit dans le *Rituel cathare latin :* «On a cru devoir dire : Notre Père qui êtes aux cieux, pour le distinguer du père du Diable qui est méchant et père des méchants.» C'est l'*Evangile* de Jean qui est à la base de cette croyance : «Le démon, quand il dit des mensonges, parle de ses propres choses (ou causes?) de son propre fonds, car il est menteur et père de lui» (8, 44). La traduction occitane : *Lo demon, co parla messorgua, de sas proprias causas parla, car messorguier es el paire de lui*, est, je le reconnais, aussi ambiguë que le texte latin et que le texte grec (*Oti, pseustes estin Kai o pater autou*). On sait par les *Actes d'Archelaüs* que Mani traduisait déjà :« Comme la vérité n'est point en lui, toutes les fois qu'il ment, il parle de son propre fonds, parce qu'il est menteur aussi bien que

son père.» Et il est certain que les cathares de Drago-
vitsa, dont une tradition affirmait que l'Eglise avait été
fondée directement par Mani, savaient, par l'*Evangile* de
Jean ainsi interprété, que Lucifer était le fils du dieu des
ténèbres c'est-à-dire son émanation ou sa manifestation :
*Et dicunt quod Lucifer filius dei tenebrarum est, quia
dicitur Evangelio Johannis : vox ex patre diaboli estis...*,
etc. *Et pater ejus, id est Diaboli, scilicet Luciferi est radix.*
Il est probable que la plupart des dualistes absolus, au
moins depuis la venue en France de Nicetas dont les
théories s'apparentaient à celles des hérétiques de Dra-
govitsa, interprétaient comme Mani le passage en question de l'*Evangile* de Jean. Ils croyaient qu'il y avait une
racine du Mal, très cachée et inconnaissable dont tous les
maux — y compris Satan lui-même — n'étaient que
l'expression dérivée (*a quo,* dit Jean de Lugio, *potestas
Sathane et tenebrarum... derivantur*).

On a vraiment l'impression que, pour les dualistes
mitigés, le père du Diable pouvait très bien correspondre
au monstre du chaos dont nous avons parlé, et le fils, à
l'ange rebelle corrompu par lui. Le dualisme mitigé
aurait été un dualisme timide — ou secret — escamotant
par prudence (?) le vrai problème de l'origine du mal.

Il convient donc de réviser quelque peu les théories en
cours et reconnaître que toute une fraction des dualistes
mitigés croyaient — dans le secret de leur cœur —
comme les dualistes absolus :

qu'il existait une racine éternelle du Mal, mais qu'ils
occultaient cette croyance comme un arcane : «*Arcanum
est*», disaient-ils;

que pour les dualistes absolus, ce qu'ils appelaient le
mauvais principe était en lui-même inconnaissable et que
tous les maux — et Satan et ses démons — ne faisaient
que manifester ses effets;

que sur ce point et sur bien d'autres il y a un certain
accord entre saint Augustin et les cathares. Saint Augustin, commentant l'*Evangile* de Jean, déclare que les ténèbres, l'erreur et la mort ne sont point dans le Verbe. Et
Jean de Lugio : «Que les ténèbres, par conséquent, ne

sont point par lui [...]. Car les ténèbres n'ont point été créées directement et principiellement par Notre-Seigneur, le vrai Dieu et son fils, Jésus-Christ. »

Pour les mêmes raisons, il est absolument impossible de soutenir, comme s'obstinent à le faire encore quelques hérésiologues, que les deux principes du catharisme sont égaux. Outre que ce terme ne signifie pas grand-chose («égaux» veut dire : pareils, semblables) si l'on ne précise pas en quoi ils sont égaux, il est bien évident qu'ils ne sont ni égaux en valeur et en puissance, ni même «équivalents». Pour Jean de Lugio, le Mal éternel est «péché, châtiment, angoisse, erreur, feu et supplices, chaînes et Satan». Et cela n'a pas eu de commencement et n'aura pas de fin.

Quarante ans auparavant, le cathare Bartholomé tenait toute la manifestation visible, et le Diable lui-même, pour une fantasmagorie illusoire se déroulant entre deux néants. En revanche, il insiste sur le fait que le Dieu du Bien est seul *summus ac verus et omnipotens* (suprême, vrai et tout-puissant), tandis que le faux Dieu n'est rien de tout cela. Et, pour Jean de Lugio, le Diable n'est que «mensonge, erreur, puissance vaine (non vraie) et impuissance à agir autrement que sur le plan du Mal qui n'a point d'être véritable».

Comment les cathares auraient-ils pu tenir pour égaux en valeur et en intensité ontique, l'erreur et la vérité, la puissance vraie et la puissance mensongère, la plénitude de l'être et l'être néantisé, le Bien et le Mal, l'Etre et le Néant? Si, au lieu d'employer le langage des Inquisiteurs, les historiens consentaient — ce serait de leur part un minimum d'exactitude — à respecter le vocabulaire des hérétiques qu'ils étudient, comme ils le font quand ils rendent compte des croyances des Dogons ou des Bantous; s'ils appelaient le bon principe Vrai Dieu, à la façon des cathares, peut-être trouveraient-ils plus naturel de ne point faire de l'autre, «le faux», son égal. S'ils se représentaient clairement que rendre les deux principes égaux, cela revient à poser l'existence de deux êtres suprêmes, qui, de ce fait, ne seraient plus opposés ni contradictoires, peut-être se garderaient-ils — comme l'ont toujours fait les controversistes catholiques du Moyen Age, pourtant fort hostiles au dualisme cathare — d'attribuer pareille sottise aux hérétiques, alors qu'aucun texte ne les y autorise, et qu'au contraire tous les écrits d'origine cathare proclament la débilité ontique et l'impuissance à créer du Malin, et annoncent comme inévitable sa défaite finale quand viendra la fin du Temps.

Conclusion : Dieu a quitté la terre

Dans un article paru en 1954 dans la revue *Synthèses* (numéro 103, décembre), M. Edmond Rochedieu, s'interrogeant sur les causes qui avaient fait le succès du manichéisme et sur celles qui ont amené sa disparition, attribue son échec final au fait qu'aucune religion «ne peut poursuivre ni même entreprendre sa mission de salut, qui est d'élever les âmes en les exhortant à vaincre le Mal, si elle ne commence pas par croire à la possibilité d'une victoire réelle sur ce mal». Je ne pense pas que le manichéisme et le catharisme, dans la mesure où il s'inspire de principes dualistes, aient jamais suggéré qu'il n'était pas possible de vaincre le Mal. Mais il est exact que ces deux religions ne font pas preuve du même optimisme béat que toutes les autres en ce qui concerne la situation authentique de l'homme dans le monde. Non pas, certes, qu'elles enlèvent toute espérance à leurs fidèles : par certains côtés, le catharisme qui enseigne que toutes les âmes seront sauvées est plus rassurant que le catholicisme qui professe que beaucoup d'entre elles, les plus nombreuses peut-être, seront damnées éternellement. Mais le manichéisme et le catharisme affirment que rien n'est encore joué et que, si la victoire du Bien sur le Mal est certaine, elle sera cependant acquise «de justesse», et, de toute façon, n'entraînera pas l'élimination totale du principe du Mal, qui est éternel et indestructible.

C'est ce que reprochaient déjà quelques controversistes catholiques aux albanenses (dualistes absolus d'Italie) : «Une fois, disaient-ils, les âmes du Dieu bon revenues dans leur royaume et celles du dieu mauvais revenues aussi dans le leur, pourquoi les hostilités ne reprendraient-elles pas entre les deux principes?» Ce raisonnement ne devait pas troubler beaucoup les albanenses. Les anciens manichéens eux-mêmes n'ont jamais pensé sérieusement que la subversion de la lumière par les ténèbres pourrait se reproduire. «L'épreuve du Mélange, et sa défaite dernière, comme le dit H.-Ch. Puech, auront rendu l'obscurité incapable de renouveler sa tentative d'envahissement du royaume de Dieu ; la disjonction des deux natures, la supériorité du Bien, la sécurité et la paix de la lumière seront alors définitives.» Les albanenses, et leur docteur Jean de Lugio le dit expressément, avaient sur ce point, adopté la même théorie : les deux principes ne sont nullement égaux en puissance, et le Dieu du bien l'emporte toujours à la fin, comme le voulait le manichéisme. Les âmes qui ont subi l'emprise du Mal et de la douleur, au cours des réincarnations successives, et ont accédé à la pureté ne sont plus ce qu'elles étaient auparavant : elles ont été l'objet d'une sorte de re-création qui les a raffermies dans leur être.

D'ailleurs, les forces chaotiques et malignes seront emprisonnées, disaient les manichéens, dans le *Bolos* et enfouies «au fond d'une fosse que recouvrira une énorme pierre» (Puech, p. 83). Ce qui signifie qu'à la fin du Temps, le Mal sera isolé, enfermé, mis hors d'état de nuire et de corrompre. On retrouve la même idée, somme toute optimiste, dans le catharisme occitan : le chaos, qui est l'élément naturel de Satan, son habitat — lequel, en droit, si les principes étaient vraiment égaux en puissance, serait susceptible d'une extension infinie — devient en réalité sa prison, son «enfer». Les méchants sont rejetés dans les «ténèbres extérieures» qui sont les leurs. Ajoutons que le Démon, celui des manichéens comme celui des cathares, était censé tirer toute sa puissance du Mélange, c'est-à-dire de son «entrée», pourrait-on dire, dans les âmes créées par le Dieu bon. Le mélange disparaissant et devenant à tout jamais impossible, le Démon, réduit à lui-même, perd tout son pouvoir.

Comme on le voit, la supériorité du bon principe réside dans son éternité. Alors que le mauvais «dure» indéfiniment — puisqu'il est principe —, mais dans le changement perpétuel et le chaos, le Dieu du bien, lui, ne change jamais et il est capable, étant tout-puissant dans le Bien, d'ajouter un surcroît d'être à ceux que le Mal a à demi «anéantis». C'est ainsi que le Christ a été raffermi dans son être, et échappe ainsi à la corruption universelle. De même que, dans le catholicisme, les bons anges et les élus ont été «confirmés en grâce», et ne peuvent plus pécher, de même dans le catharisme, les âmes purifiées, libérées, deviennent «impeccables». Les esprits réfléchis verront que la différence n'est pas tellement grande, entre le catharisme et le catholicisme, en ce qui concerne le destin final du Démon. Sans doute le catholicisme ne considère-t-il pas le Mal comme véritablement infini : il a commencé. Mais enfin — et bien que l'on comprenne difficilement comment le Mal «qui a commencé» peut développer des conséquences infinies et se maintenir indéfiniment — l'Enfer catholique durera toujours. Les monstres seront toujours là. Mais, parce que les bons sont raffermis en grâce — idée que le christianisme primitif doit peut-être au manichéisme —, ces monstres ne constituent plus une menace pour eux. Il est évident que pour les dualistes la supériorité du Dieu bon (car «la lutte entre le Bien et le Mal se couronne nécessairement, comme le note H.-Ch. Puech, d'une victoire de la lumière») tient à ce qu'il est le dieu suprême de l'être et qu'il a, répétons-le, la puissance d'accroître autant qu'il le veut l'être de ses créatures, et de les rendre immuables et incorruptibles comme lui.

Mais cette victoire n'est pas acquise sans dangers ni catastrophes, et elle ne s'achève pas sans pertes sur un triomphe plénier du vrai Dieu. La croyance que le Mal est infini, en droit, et qu'il est indestructible, a été lourde de conséquences. Je n'insiste pas sur celles que les sorciers en ont toujours tirées : le dualisme a certainement servi de caution à la sorcellerie médiévale. Prendre le parti du Diable, c'était se condamner, certes, à être vaincu, mais c'était aussi connaître les amères voluptés de la rébellion, de l'orgueil, de la cruauté ; les délices de la matière. C'était désirer l'enfer, c'est-à-dire l'exaltation charnelle dans le mélange des plaisirs et des douleurs.

Pour le croyant qui refusait le Mal dans son cœur, ce monde-ci, soumis au prince des ténèbres, ne laissait pas d'être menaçant et terrible. L'homme se sentait l'enjeu passif d'une lutte entre les forces du Mal et celles du Bien, qui l'écartelait. Que pouvait-il faire contre le Mal, sinon attendre que le Dieu bon ait triomphé en lui et que la grâce divine l'ait enfin libéré du péché ? Pour lui, Dieu était infiniment trop haut. Je crois donc que ce qui a rendu difficile la diffusion du catharisme, c'est qu'il ouvrait précisément à l'action deux voies contradictoires : ou bien il fallait adhérer à l'ordre du Mal; ou bien il fallait renoncer absolument à la vie terrestre et temporelle. Sur le plan social, il développait la même contradiction théorique : si le monde est mauvais, il faut le changer; mais comment le changer puisque, ici-bas, le Diable est tout-puissant? En réalité, les religions, qui sont l'«opium du peuple», ont aussi, comme Karl Marx l'a d'ailleurs souligné, une valeur révolutionnaire (et tout spécialement les dualismes), dans la mesure où elles désignent l'ordre établi comme étant le Mal. Il est de fait que les bogomiles ont lutté contre la féodalité et la tyrannie ecclésiastique; que les cathares ont essayé de faire en sorte que leurs croyants fussent plus riches, ou moins pauvres; qu'ils soignaient les corps — pourtant l'œuvre du Diable — et guérissaient les malades; et qu'ils ont même tenté de substituer à la justice injuste la justice charitable. Théoriquement, ils devaient renoncer au monde — c'était la meilleure façon de le vaincre — et devenir parfaits : dans la vie réelle, ils croyaient de leur devoir d'œuvrer pour le transformer. Mais il fallait être un sage ou un esprit extrêmement évolué pour concilier ces deux attitudes si opposées en essence. Et peut d'hommes, au XIIIe siècle, en étaient capables.

Je ne parlerai pas ici des tentatives faites à la fin du XIXe siècle par divers philosophes — Lasbax, Prat — pour rendre au manichéisme une sorte d'actualité philosophique ou scientifique. Louis Prat, disciple et collaborateur de Renouvier, après avoir fait paraître de nombreux ouvrages : *le Mystère de Platon* (en collaboration avec Renouvier), *la Religion de l'harmonie,* travaillait, lorsqu'il mourut, à un livre qu'il aurait intitulé *Un néo-catharisme* et qui, à ma connaissance, n'a jamais vu le jour. Le titre est fort significatif. Et le rayonnement oral, si l'on peut dire, des théories de Prat a été considérable. Mais je ne crois pas que le manichéisme puisse être ainsi restauré sous une forme précise et systématique : sa force vient de ce qu'il n'a jamais cessé, sous un aspect beaucoup plus général, de hanter la conscience des philosophes et des moralistes. Car si l'opposition des deux principes apparaît à certains comme élémentaire et puérilement calquée sur les contrastes naturels — la nuit et le jour, le chaud et le froid —, il est évident qu'elle correspond également à la structure de l'esprit : erreur et vérité, affirmation et négation. Si parmi les schémas que l'esprit projette sur le réel et que d'aucuns croient, à tort, objectifs, il en est peu qui s'accordent vraiment à la nature des choses, il me semble que seuls, ceux que le manichéisme a posés ont, de par leur généralité même, quelque chance d'être fondés en réalité. Il y a toujours eu des dualismes : matière-esprit, matière-antimatière, Yin et Yang, etc. Mais les termes en présence ont varié avec les époques et les modes. Aujourd'hui, le dualisme insistant est surtout celui du hasard et de la nécessité, du chaos indéterminé et de l'ordre nécessaire. J'ai montré récemment, dans le *Journal spirituel d'un cathare d'aujourd'hui,* que le manichéisme est la seule religion qui ait osé faire une place privilégiée dans l'économie du cosmos au hasard absolu, au chaos, à un principe dépourvu de toute intelligibilité, et par conséquent au Mal, qui, s'il était tant soit peu intelligible, ne serait pas le Mal. Selon les mythes manichéens, c'est par un pur hasard que les ténèbres sont entrées en contact avec la lumière et l'ont partiellement dévorée. Aujourd'hui, les notions de matière et d'esprit n'ont guère plus de sens ; on ne sait plus ce qu'est Dieu ; l'on ne croit plus que son existence puisse être démontrée : on le proclame «mort», ou en devenir perpétuel. Il faut bien, dès lors, que la pensée des meilleurs rejoigne d'une façon ou d'une autre, et par des voies sans doute trop simplificatrices, le vieux système dualiste. Dieu ne peut plus être conçu que comme un être nécessaire coexistant avec une réalité à demi néantisée et sans lois, qui lui résiste.

Presque tous les phénomènes peuvent être expliqués par le hasard (c'est-à-dire par un jeu de probabilités). La plupart des finalités se révèlent, en fin de compte, plus apparentes que réelles et comme résultant de l'interaction de forces aveugles. «Les chances d'apparition de la vie, écrit M. Jacques Monod, étaient quasi nulles *a priori*.» Je dirai, sur un plan plus métaphysique, que les chances qu'avait l'être d'émerger du néant l'étaient encore davantage. N'est-il pas remarquable que toutes les mythologies situent l'origine des choses dans un chaos primordial, absolument indéterminé et soumis au seul hasard, comme s'il avait fallu que Dieu s'y révélât progressivement en mettant de l'ordre là où il n'y en avait pas, ou que ce Dieu «voulût» — cela revient au même — se «produire» à partir du chaos? C'est toujours le désordre (le hasard et le mélange fortuit des éléments) qui est premier. La nécessité n'apparaît qu'ensuite — comment pourrait-elle, d'ailleurs, se manifester autrement? — pour débrouiller, stabiliser les poussées irrationnelles de la matière, bref : pour empêcher le désordre de devenir l'ordre ; le hasard de se substituer, de façon permanente, à la nécessité éternelle (qu'il est capable d'imiter «un temps», «par hasard»). Il serait donc aussi absurde de nier la présence dans l'Univers d'une puissance aveugle et hasardeuse, que de nier celle d'une nécessité réductrice s'exerçant partout où elle le peut. Le hasard, aidé, il est vrai, par la mystérieuse sélection, peut, à la rigueur, rendre compte de l'apparition de la vie une fois, mais non point, me semble-t-il, de la répétition, de son maintien, et de sa direction progressive de plus en plus complexe. Il faut faire appel à une structuration qui stabilise le hasard, le fixe — ne fût-ce que dans le passé irréversible où ses conséquences ne sont plus aléatoires — et rend ses résultats transmissibles. C'est par là que se traduit précisément l'action d'un «Dieu» de la nécessité. M. Monod, qui se défie à bon droit des structures «dialectiques» — ou tout au moins de leur prétendue objectivité —, est cependant amené à en rétablir quelques-unes, sans lesquelles le hasard déferait à tout moment ce qu'il a édifié.

Comment ne pas voir, d'ailleurs, que le hasard se limite lui-même dans ses répétitions, dans les grands nombres, et obéit, de ce fait, à des lois qui ne sont pas fortuites en essence? C'est pourquoi l'esprit humain a de la difficulté à distinguer la très grande improbabilité d'un événement échu, de sa nécessité transcendante. S'il y avait très peu de chances pour que la vie sortît de la matière, et moins encore pour que l'être sortît du néant, quelle est alors la force, supérieure à ce jeu de probabilité, quel est ce tout-possible qui a imposé cet événement et qui, comme le disait au XVIIIe siècle l'abbé Galiani, «a pipé les dés»? On peut toujours soutenir, bien sûr, que la nécessité procède elle-même du hasard, mais c'est là jouer sur les mots : le hasard qui devient nécessité n'est plus le hasard; à moins qu'on n'entende par là que la nécessité contraint à la longue le hasard à n'être pas tout à fait le hasard.

C'est pour cette raison que le spectacle de ce monde suggère naturellement à l'esprit qu'il est soumis à l'antagonisme de deux puissances contraires et, en dernière analyse, à celui du hasard et de la nécessité, comme le voulait Démocrite, pour qui «tout ce qui existe dans l'Univers est le fruit du hasard et de la nécessité»; et, comme Joë Bousquet le rappelait encore à Simone Weil en 1942 : «Le réel est le «fruit» de deux éléments ennemis.»

Ce qui semble caractériser la conscience de l'homme moyen moderne, c'est qu'en même temps qu'elle est contrainte d'admettre qu'il y a un principe de corruption (une racine de désordre) tapi dans un coin de l'éternité, elle se met à redouter, pour cette raison même, que le monde ne soit soumis à un dieu aveugle, cruel ou fou; que le «démiurge», issu du néant, ne soit un monstre; que le Mal ne soit infini, c'est-à-dire capable de s'étendre totalement à tous les êtres. Car le Mal qui s'explique chez l'homme par des causes, même inexcusables, et qui se réduit à des appétits, à des besoins, n'est pas le Mal. Le mal véritable, c'est la méchanceté pure, la folie pure, la bestialité et l'inconscience pures. Jamais on n'avait eu tant à redouter qu'aujourd'hui que la démence furieuse du démiurge ne s'incarne absolument dans l'homme et ne le rende semblable à la bête. N'est-il pas significatif que de William Blake à Otto Rahn, Simone Weil et Joë Bousquet, la même angoisse se fasse jour dans l'âme des «mystiques», la même terreur que Dieu ne soit un monstre?

Dès lors le manichéisme reprend toute sa force, qui affirme que ce Dieu n'est pas le vrai Dieu et qu'il y en a un autre; et qui précise, du même coup, que l'Autre est devenu infiniment transcendant; qu'il est absolument inconnaissable, et qu'il ne peut plus être atteint que par la foi inconditionnnée; autrement dit : que son existence ne peut être une certitude que pour ceux à qui il a voulu communiquer les effets de sa grâce. Même si l'on n'admet pas qu'il y a deux dieux, il faut bien se résigner à admettre qu'il y a deux sortes d'hommes : les saints et les méchants; et que, selon toute vraisemblance, ce n'est pas par un libre choix que les uns sont bons et les autres mauvais. Ils ne sont que ce qu'ils sont déterminés à être. Ils sont damnés ou sauvés par l'action de deux causalités opposées (la grâce infernale et la grâce divine) qui ne peuvent pas appartenir au même Dieu. Il me semble que le moniste — ou celui que se croit tel — ne peut qu'être tenté aujourd'hui d'adhérer à l'ordre du Mal. Parce que tout le convainc, s'il pense juste — la raison, la science, l'expérience des hommes et de la vie —, que ce monde est absurde et désespéré, et qu'il n'y a pas de Dieu ou que ce Dieu est fou. Les efforts que l'homme généreux veut accomplir pour «changer» la société, pour instaurer, par exemple, le socialisme, je vois mal comment il peut les mettre en harmonie avec la conviction «qu'il a émergé de l'Univers par hasard». Si tout procède du hasard, les hippies sont beaucoup plus logiques, qui veulent vivre au hasard et prendre le temps «comme il vient» Sans doute sont-ils convaincus, eux, que la corruption s'étend à tout le monde manifesté, aux révolutions «justes», aux sociétés «progressistes», comme à tout le reste.

«C'est à l'homme de choisir, nous dit M. Jacques Monod, en termes si curieusement «cathares», entre le Royaume et les Ténèbres.» Mais est-ce encore le hasard — à quoi tout se réduit en fin de compte — qui lui a appris qu'il y avait un «Royaume»? Du moment qu'il sait que le monde et Dieu sont «monstrueux», comment pourrait-il choisir le «royaume», s'il ne croyait pas, *ipso facto*, en un autre Dieu? Comment serait-il «choisi» par ce royaume, car il est clair qu'il est choisi et ne choisit pas, s'il n'était pas rejeté par les ténèbres; et si le Dieu vrai et inconcevable ne se manifestait pas à lui, le premier, sous les espèces d'une foi, par ailleurs incompréhensible qui n'exprime rien d'autre que les effets de sa présence?

Un certain dualisme théorique — celui qui oppose Dieu tel qu'il devrait être au Dieu mauvais, qui paraît bien ce qu'il est (c'est celui du marquis de Sade) — conduit tout droit à l'athéisme. Mais l'athéisme théorique — celui qui rejette un dieu insensé, pour essayer sans doute désespérément de rejoindre la transcendance incompréhensible de l'Autre (c'est l'athéisme des manichéens) — se dépasse lui-même en un dualisme infiniment rigoureux et pur.

ANNEXES

Glossaire
des principaux termes du catharisme

ALBANENSES

On désigne sous ce nom les dualistes absolus d'Italie, sans doute parce que les fondateurs de leur secte étaient venus d'Albanie. Leur centre principal était à Desenzano, sur les bords du lac de Garde. Vers 1250, cette Eglise connut un schisme retentissant. Une partie des «croyants» resta fidèle au dualisme absolu sous sa forme ancienne et à l'évêque Balanzinansa, qui n'eut plus guère d'influence que sur les vieux. L'autre partie suivit le «Fils majeur» Jean de Lugio, auteur du *Liber de duobus principiis :* il attira surtout les jeunes.

Les cathares occitans pensaient comme les albanenses. On les appelait albigenses : les deux termes semblent avoir été synonymes.

APARELHAMENT

Mot occitan, de *aparelhar*, préparer, se préparer à. En se confessant, on «s'appareillait», c'est-à-dire on se disposait à nouveau à une observation plus sévère des règles de la vie parfaite (C. Schmidt).

Pour M. Duvernoy, l'*aparelhament* était la confession mensuelle des parfaits devant les diacres, ou devant l'évêque, ou devant l'un de ses deux coadjuteurs (le *Fils majeur* et le *Fils mineur*). C'est de l'un d'eux qu'ils recevaient pénitence. Le même auteur voit dans cette cérémonie un vestige des rites chrétiens orientaux du IVe siècle et note, à la suite de quelques historiens slaves, des ressemblances entre cette coulpe cathare et les rites prescrits par la règle de saint Basile.

La cérémonie, lorsqu'elle coïncidait avec une assemblée de «croyants», était précédée d'une Bénédiction et suivie d'une prédication et d'un Baiser de paix.

L'*aparelhament* (forme latinisée : *apparelhamentum*) est appelé aussi *servisi* (service).

CHARITE

Latin : *caritas* ; occitan : *caritat*.

Vertu surnaturelle par laquelle nous aimons Dieu pour lui-même et par-dessus toutes choses et le prochain comme nous-mêmes par amour pour Dieu. Ainsi donc cette vertu a deux objets, Dieu et le prochain, et un motif, Dieu lui-même.

Lien d'amour qui unit les anges entre eux, les hommes entre

eux et les hommes et les anges à leur créateur. Principe de cohésion ontologique et d'unité substantielle assez semblable à ce que Pascal appelait l'ordre de la charité, différent de l'ordre de l'esprit et de l'ordre de la matière et infiniment supérieur à l'un et à l'autre.

Nous n'aimerions pas Dieu si Dieu ne nous avait pas aimés le premier : Dieu est Charité. S'appuyant sur Jean (I-Ep. IV,16) : *Deus Charitas est; qui manet in charitate in Deo manet,* les cathares pensaient que l'amour faisait partie de l'essence de Dieu. C'est pour cette raison qu'ils ont considéré le pain super-substantiel de l'Oraison dominicale comme étant la charité elle-même. «La charité est appelée pain supersubstantiel parce qu'elle est au-dessus de toutes les autres substances» (*Glose cathare sur le Pater*; Ms. A 6-10 de la Collection vaudoise de Dublin; ed. Th. Venkeler). Cf. également : Paul, I-Cor., XIII, 4-7.

La charité fait la substance des êtres créés par le Dieu du Bien. C'est pourquoi le cathare Bartholomé, auteur d'un traité cité par Durand de Huesca, affirme que les êtres qui n'ont pas la charité sont *nihil*, c'est-à-dire néant relatif, et qu'ils n'ont point la plénitude de l'être qui s'attache aux seules essences incorruptibles créées par le Dieu bon, de sa propre substance. «Si tous les mauvais esprits, les méchants hommes et toutes les choses qui peuvent être vues en ce monde ne sont que *nihil* (néant relatif) parce qu'elles sont sans charité, c'est qu'elles ont été faites sans Dieu (en dehors de Dieu).» Les deux autorités qu'invoque Bartholomé sont : Paul (I-Corinth., XIII, 3 : «Si je n'ai pas la charité, je suis un *nihil*», un quasi-néant) et Jean (1-3 : «Sans Lui a été fait ce qui est le *nihil*», le néant relatif).

CONSOLAMENT

Mot occitan; forme latinisée : *consolamentum*. Baptême spirituel, opposé au baptême d'eau de Jean, et donné par imposition des mains selon des rites qui rappellent ceux de l'Eglise primitive (moins les éléments matériels : eau, onction, huile). Cette cérémonie, essentielle au catharisme, apportait la «consolation» du Paraclet suivant la tradition apostolique.

Alain de Lille distinguait avec raison, au XIIᵉ siècle, et de nos jours également M. Jean Duvernoy, le *consolamentum*, ou baptême des parfaits, du *consolamentum* ou baptême des mourants (ou des consolés), bien qu'ils fussent exactement semblables quant aux rites. Le baptême des parfaits signifiait pour eux l'entrée dans les ordres cathares et la renonciation volontaire aux choses de ce monde; le baptême des mourants (ou des consolés), donné seulement aux mourants, leur apportait l'espérance que leurs péchés étaient pardonnés et qu'ils étaient sur la voie du salut (qu'il n'assurait pas automatiquement). Si le mourant survivait, ce *consolamentum* devenait caduc; et il devait soit reprendre sa vie de simple croyant, soit se préparer à recevoir, à plus longue échéance, le *consolamentum* des parfaits.

Les parfaites recevaient le *consolamentum* et pouvaient, en certaines circonstances, le conférer à leur tour.

CONVENENZA

Mot occitan : accord, pacte. Par la *convenenza*, le croyant «convenait» avec l'Eglise cathare qu'il serait «consolé» à l'heure de sa mort, même s'il n'avait pas toute sa conscience et s'il n'était pas en état de dire le *Pater* à haute voix. Cette «convention» dut entrer en usage vers le milieu du XIIIe siècle, c'est-à-dire au temps où, du fait de la guerre et de la persécution, les croyants étaient souvent en danger de mort.

DIACRES

Pasteurs cathares qui servaient d'intermédiaires entre les évêques et les parfaits, et s'occupaient également des simples croyants.

DOCETISME

Doctrine selon laquelle Jésus-Christ n'a vécu sur la terre qu'en apparence, en image. La plupart des cathares croyaient que le Christ avait revêtu un corps spirituel, un vêtement angélique, parfaitement réel, mais invisible aux yeux de chair, de sorte que son humanité physique n'était qu'illusoire.

La plupart des catholiques, qui ne croient pas que le Christ se manifeste avec des vêtements tissés dans les ateliers du Ciel et des sandales fabriquées par les anges — ni même que la Sainte Vierge soit apparue à Bernadette, dans un corps de femme soumis à toutes les infirmités physiques —, sont docétistes sans le savoir.

ENDURA

Mot occitan : privation, jeûne. Sorte de suicide mystique nullement blâmable : quitter le vie par amour de l'être a toujours été le vœu des véritables spirituels de toutes les religions.

Au XIIIe siècle, il arrivait que des cathares, haïssant le monde et n'ayant plus que peu de jours à vivre, se laissassent mourir de faim, après avoir reçu le *consolamentum,* parce qu'ils n'étaient plus en état de dire le *Pater*, avant de manger et de boire, et qu'ils craignaient, en retombant dans le péché, de perdre le bénéfice de la sanctification relative et provisoire qu'ils avaient reçue de Dieu et des circonstances, sans trop l'avoir «méritée».

L'*endura* consistait d'ordinaire à se laisser mourir d'inanition, ou de froid (plus rarement). Elle n'a jamais été encouragée par les parfaits ni, à plus forte raison, imposée par eux. Elle ne s'est d'ailleurs répandue qu'à la fin du XIIIe siècle et surtout dans le comté de Foix, sous l'influence du pasteur Pierre Autier, en des temps où l'Inquisition se chargeait par ailleurs de rendre la vie impossible aux croyants.

EUCHARISTIE

Les cathares ont toujours rejeté, comme inconciliable avec les principes de leur religion, la croyance que le Corps de Jésus-Christ était réellement présent dans la matière de l'hostie. Ils ne faisaient que suivre l'opinion de beaucoup de chrétiens des premiers âges qui pensaient que le Christ avait parlé par image ou par figure quand il a dit : «Ceci est mon corps.» Tertullien était de cette opinion. Origène aussi, qui appelle le pain et la coupe «les signes et images du corps et du sang de Jésus-Christ». Le pseudo-Cyprien allait jusqu'à déclarer : «N'aiguisons pas nos dents pour mordre ce pain!» Saint-Augustin lui-même n'était pas loin de croire que le Christ s'était exprimé «symboliquement». Et il lui prêtait ces paroles explicatives : «Vous ne mangerez point ce corps que vous voyez, vous ne boirez pas ce sang-là que doivent répandre ceux qui me crucifieront. Je vous ai recommandé un certain sacrement, lequel, entendu spirituellement (*spiritualiter*), vous visitera» (Super Psal. 94).

Dans les repas rituels, la fraction et la bénédiction du pain pratiquées par les parfaits, en rapport avec la récitation du

Pater qui, précisément demandait à Dieu le pain supersubstantiel, signifiaient qu'ils condiséraient le pain matériel comme un simple *signum* ou symbole. Le pain béni était sacré en tant que *panis purus* (pain «pur» ou «purifié»), et il se substituait à l'hostie considérée par les catholiques comme *verum corpus* (le vrai corps du Christ). Le vrai pain supersubstantiel, c'était Dieu lui-même ou la charité divine elle-même. Rappelons que déjà Bérenger de Tours, à la fin du XIe siècle, avait soutenu que le pain ne saurait être vraiment le corps du Christ.

Les cathares, et après eux les calvinistes, ont raillé la croyance en l'eucharistie d'une façon typifiée qu'on retrouve à peu près en Allemagne, en France et en Italie : «Si l'on mangeait réellement, disaient-ils le corps du Christ, de quelle immense étendue ne faudrait-il pas qu'il ait été pour suffire à la consommation de tant de milliers d'hommes depuis tant de siècles !» Il faudrait qu'il fût plus grand que le rocher d'Ehrenbreitstein, disait le cathare de Bonn ; plus grand que les Alpes, disait celui du midi de la France. Et dans le comté de Foix, vers 1300, au lieu de l'Ehrenbreitstein, on citait le mont Bugarach (Aude) ou le pic de Morella (Espagne).

Ces plaisanteries ne paraîtront de mauvais goût qu'à ceux qui ignorent d'où elles ont tiré leur origine. Les catholiques disaient encore au XVIe siècle : «User le corpus Domini» pour «recevoir l'hostie». Le prêtre «usait» le corps de Notre-Seigneur. «Voilà un étrange langage, écrit le calviniste Jean Chassanion de Monistrol dans son *Histoire des Albigeois* (1595), de même calibre que la doctrine dont il est puisé.»

FILS MAJEUR, FILS MINEUR

C'étaient les deux coadjuteurs de l'évêque. Le fils majeur remplissait les mêmes fonctions que l'évêque et était appelé à lui succéder après sa mort. Le fils mineur devenait alors fils majeur, et l'on faisait choix d'un autre fils mineur.

MAL

Pour saint Augustin, le Mal est une «tendance au néant» qui se manifeste *a posteriori* dans la créature de Dieu, par l'intermédiaire de son libre arbitre. Le Mal n'est pas principiel. Pour les cathares, le Mal est une «tendance au néant» qui existe *a priori*, de toute éternité, dans le mauvais Principe et constitue sa nature : le Mal est donc principiel.

Pour saint Augustin, la créature peut se corrompre et tendre au néant ; pour les cathares, c'est nécessairement, par essence, par nature, que le Mal est corruption et tend au néant.

MELHORAMENT

Mot occitan : «amélioration». Forme latine : *melioramentum*.

A peu près le seul rite que les croyants fussent tenus de pratiquer. C'était une salutation, une «adoration» (au sens liturgique, c'est-à-dire dans le sens de l'adoration du nouveau pape par les cardinaux, et non théologique d'hommage, dû seulement à la majesté divine, et d'idolâtrie) que les croyants adressaient au parfait dès qu'ils se trouvaient en sa présence.

Il consistait en trois révérences ou génuflexions et une demande de bénédiction. Comme le croyant demandait à être conduit à bonne fin, on peut supposer que le premier *melhorament* s'accompagnait d'une *convenenza* ou qu'il l'impliquait. Ce rite exprime de façon parfaite la situation du croyant. Il n'est pas en état de devenir un «saint», mais il aspire à accéder un jour à la libération. Comme le catharisme ne croyait pas au libre arbitre, ces bonnes dispositions qu'il montrait dans le *melhorament* faisaient la preuve de son progrès moral actuel et indiquaient qu'il commençait à être «aimé de Dieu»

NEIEN

Mot occitan. Substantif : néant. Correspond exactement au latin *nihilum* (substantif), le «néant», ou à *nihil* (adverbe pris comme substantif), «le rien». *E dis c'om es niens despueis que pert l'alen* (Uc de Saint-Circ) (Il dit que l'homme est néant dès qu'il perd le souffle). Dans la traduction occitane et cathare du verset 1, 3 de Jean : «*E sens Lui es faitz «neient »*, neient est substantif : «Et sans Lui a été fait le néant». Comme c'est là la traduction exacte de : «*Et sine ipso factum est nihil*», il faut en déduire nécessairement que *nihil*, adverbe, est ici «substantivé» et signifie : «le rien» (au sens de : chose illusoire, ayant peu d'être véritable) et non point : «Ne... rien» (rien, sans Lui, n'a été fait).

Quand les Occitans veulent employer *nient, neien*, adverbialement et négativement (ne... rien), la place de ce mot dans la phrase — généralement avant le verbe — l'indique suffisamment : *Car ses me nien podez far (*Jean, 18, 3) (Car sans moi vous ne pouvez rien faire).

Pour éviter toute ambiguïté, les cathares emploient d'ailleurs de préférence, dans ce cas, la tournure *no res* (ne… rien) : *E re no manjec ni bec en aquels dias* («Pendant tout ce temps-là il ne but ni ne mangea rien»).

Neien, pour les cathares, n'est point le néant absolu, mais l'ensemble des choses et des esprits mauvais et manquant d'être, qui ont été faits sans la volonté et en dehors de Dieu.

NIHIL

Mot latin (adverbe) : ne… rien. *Nihil sum* : «je ne suis rien».

Pris parfois comme substantif par saint Augustin et les cathares, quand il s'agit du verset 1, 3 de Jean ou d'applications se rapportant à ce verset : *nihil sum* : «je suis le rien»; *nihil facio* (saint Augustin) : je fais le Rien (le néant qui est le péché, ou le néant à quoi il tend).

Factus sum nihil sine Te («En dehors de Toi, sans Toi, je suis devenu un néant» (saint Augustin).

Pour les cathares, les mauvais esprits et l'ensemble des choses mauvaises sont *nihil*, c'est-à-dire des existants dont l'Etre ne s'égale pas à celui des essences incorruptibles créées par l'«Etre Suprême».

PARFAITS

Pasteurs de l'Eglise cathare qui avaient reçu le *consolamentum* d'ordination et le pouvoir de le conférer. Les cathares appelaient généralement les parfaits «Bons-hommes» et, s'adressant à eux : «Mon sieur» ou «mon seigneur» (*Sènher* en occitan). Le mot de parfait est pris ici dans son sens paulinien : «Nous qui sommes tous des parfaits» (Philippiens, 3) c'est-à-dire : «des chrétiens déjà formés, mais non pas, pour autant, consommés en perfection».

PATER(tradition du)

Cérémonie par laquelle le croyant recevait le droit, et le devoir, de dire le *Pater*, c'est-à-dire de s'adresser directement à Dieu en l'appelant «Notre Père».

TEMPS

Ce qui passe, opposé à ce qui demeure stable (l'Eternité). Mesure de ce qui se corrompt, de ce qui est soumis au changement.

Les *transitoria*, les choses «transitoires», sont celles qui, nées du néant, vont au néant et, par conséquent, sont «vaines». Les cathares font coïncider le temps avec le mal. Le temps indéfini, c'est-à-dire la durée du chaos qui n'a pas eu de commencement et n'aura pas de fin, est pour eux la fausse éternité, l'éternité mauvaise ou «éternité du Mal».

VENIAE

Du latin : *venia*, pardon. Inclinations ou génuflexions rituelles qui pouvaient avoir le sens de «demandes de grâces ou de pardon» (D. Roché).

Am gran reverencia, levant si totas d'en pes, e pueis baissant ab venia, totas ensemps... («Puis s'inclinaient ensemble, en faisant une génuflexion» — *Vie de sainte Douceline*).

Liste des
parfaits célèbres

*On trouvera des renseignements plus complets sur ces person-
nages dans les ouvrages et articles de MM. Jean Duvernoy et
Michel Roquebert, auxquels nous avons emprunté l'essentiel de
ces notices sommaires.*

ABIT (Guiraud).
On le connaît comme parfait dès 1210. En 1226 il succède à
Pierre Isarn comme évêque de Carcassonne et réside à Cabaret
(Lastours, Aude) de 1226 à 1228, date à laquelle il disparaît des
documents et qui correspond à la remise de Cabaret à l'armée
royale.

AUTIER (Les) (Authier, Authié)
Famille originaire d'Ax-les-Thermes, qui, entre 1280 et 1320
environ, se signala par son dévouement au catharisme et son
zèle antiromain et anti-français.
   Pierre Autier, petit-fils d'un autre Pierre Autier, était un
notaire d'Ax, très attaché au comte de Foix, dont il fut, semble-
t-il, l'un des hommes de confiance. Il partit vers 1296 pour la
Lombardie, peut-être parce que ses affaires l'y appelaient, plus
sûrement parce qu'il craignait pour sa vie. Il en revint vers 1300
après s'y être instruit sans doute au contact des Bons-hommes
réfugiés en Italie. Il entreprit aussitôt de ressusciter l'Eglise
dualiste dans le comté de Foix et y réussit dans une certaine
mesure. Habile et courageux, il échappa longtemps à toutes les
poursuites. Il fut cependant dénoncé, arrêté par les agents de
l'Inquisition et brûlé vif à Toulouse, le 9 avril 1311.
   Son frère Guillaume et son fils, Jacques, furent également
condamnés au bûcher pour fait d'hérésie.

BARTHÉLÉMY ou BARTHOLOMÉ (1222-1225)
«Une lettre adressée en 1223 à l'archevêque de Rouen et aux
prélats de France», pour les convier au concile de Sens (où de
sévères mesures seront prises contre l'hérésie), par le cardinal
Conrad de Porto, légat apostolique en Languedoc, signale les
agissements de cet envoyé redoutable dans le diocèse d'Agen.
Vigoros de Barcelone (ou plutôt de Bocona) lui a déjà rendu
hommage, cédé le siège et la résidence qu'il avait dans la région
pour se transférer lui-même à Toulouse» (Ch. Thouzellier, *Un
Traité cathare inédit...* pp. 30-31). Le traité inséré dans l'ou-

vrage de Durand de Huesca : *Liber contra manicheos*, qui prétend le réfuter, est parfois attribué à ce Barthélémy — est-ce le même personnage ? — qui serait de Carcassonne. Mlle Thouzellier a accrédité cette attribution.

BÉLIBASTE (Guillaume)

Guillaume Bélibaste, l'un des tout derniers parfaits cathares, est né à Cubières (Aude). Il s'évada du «Mur» de Carcassonne et se réfugia en Catalogne, à Lérida, où il vécut en fabriquant des peignes de tisserand. Par la suite, il s'installa à Morella avec quelques fidèles. C'est là qu'un envoyé de l'Inquisition — un traître — Arnaud Sicre, le rejoignit, capta sa confiance, l'attira à Tirvia et le fit arrêter. Il fut ramené en août 1321 à Carcassonne, et brûlé à Villerouge-Termenès (Aude) dont le château appartenait à l'archevêque de Narbonne.

CELLERIER (Sicard)

Evêque cathare d'Albi. Il assista en 1167 au concile de Saint-Félix-de-Caraman.

ESCLARMONDE de FOIX

Sœur de Raimon-Roger, comte de Foix. Devenue veuve de son mari Jourdain de l'Isle-Jourdain vers 1200, elle se fit «chrétienne» et reçut le *consolamentum* à Fanjeaux, des mains de l'évêque Guilhabert de Castres (1204). Par la suite, elle s'installa à Pamiers, où elle mena en faveur du catharisme une très active propagande. Elle assista en 1207 au fameux colloque de Pamiers.

Une tradition — qui s'appuie sur un «remaniement» en prose de *la Chanson de la Croisade* — lui attribue la reconstruction du château de Montségur (qui lui aurait appartenu en propre ?).

GUILHABERT de CASTRES

Le plus célèbre des parfaits d'Occitanie. Il était noble et appartenait à une puissante maison seigneuriale du pays castrais. Son frère Isarn et ses deux sœurs entrèrent comme lui dans les ordres cathares. Vers 1222 il prit la décision de se retirer à Montségur. Isarn de Fanjeaux et Pons de Villeneuve l'y accompagnèrent. A partir de cette date, Montségur devint le centre religieux et politique de la secte. Guilhabert ne quitta plus le château que pour de brèves missions. Il y mourut peu de temps avant le siège de 1244.

ISARN (Pierre)

Cet évêque cathare du Carcassès — de 1223 à 1226 — résida le plus souvent à Cabaret (Lastours, Aude). Il fut arrêté et brûlé à Caunes en 1226.

JEAN de LUGIO

Jean de Bergame ou Jean de Lugio, fils majeur de l'évêque de Desenzano, provoqua un schisme dans cette Eglise vers 1230. Nous connaissons les idées de cet hérésiarque, indirectement par Raynier Sacconi (*Summa de Catharis*), directement par le *Liber de duobus principiis,* écrit par lui ou par un de ses disciples. Les renseignements fragmentaires, incomplets, exposés de façon peu méthodique (et sans contexte explicatif) que donne Sacconi, ne s'accordent pas toujours avec ce que nous lisons dans le *Livre des deux principes,* de sorte qu'il est difficile de reconstituer le système de Jean de Lugio. Mais certains passages de lui, bien pensés et écrits avec vigueur, permettent de le considérer comme un excellent philosophe.

MARTI (Bertrand)

Ce parfait était originaire de Tarabel (Haute-Garonne). Nous ignorons tout de sa famille vraisemblablement très modeste. Il assista en 1226 au concile de Pieusse, fut élu diacre en 1230 et succéda vers 1239 à Guilhabert de Castres comme évêque cathare du Toulousain.

A partir de 1229, il prêche en Lauragais, surtout à Fanjeaux et à Laurac, mais aussi à Limoux, à Dun (Ariège) et dans beaucoup d'autres villes ou châteaux, ranimant partout la foi cathare, «consolant» chevaliers et vilains.

En 1236, il se fixe à Montségur, où il fait figure de maître spirituel, et aussi d'organisateur, de chef politique. Son activité diplomatique a été surtout intense de 1240 à 1244. Il mourut sur le bûcher le 16 mars 1244.

MERCIER (Guiraud)

Evêque cathare de Carcassonne, «ordonné» à Saint-Félix-de-Caraman, en 1167 (1172).

NICETAS

Pope de l'Eglise grecque cathare de Constantinople qui présida, en 1167 ou 1172, le concile de Saint-Félix-de-Caraman. Il appartenait au dualisme absolu. Les *Actes du Concile albigeois de Saint-Félix-de-Caraman* nous ont été conservés par l'historien carcassonnais Besse (XVIIe siècle), faussaire notoire. Ils ont été publiés à nouveau par le R.P. Dondaine (1946). L'authenticité de ce document a été récemment mise en doute par M. Yves Dossat.

POLHAN (Pierre)

Evêque cathare du Carcassès Résida à Cabaret (Lastours, Aude) de 1230 à 1244.

RAIMON (Bernard)

Evêque cathare du Toulousain. Après le concile de Caraman, il fut l'un des commissaires chargés de délimiter les diocèses. En 1181, il abjura l'hérésie et finit chanoine de Saint-Etienne, à Toulouse

SIMORRE (Bernard de)

Evêque cathare du Carcassès. Il prit part au concile de Saint-Félix-de-Caraman. En 1204 il assista, à Carcassonne, à une conférence contradictoire présidée par le roi d'Aragon.

TAVERNIER

Nommé aussi Prades-Tavernier (et « André » : nom de baptême cathare), tisserand à Prades. Compagnon de Pierre Autier, de Guillaume Autier et de Bélibaste, Tavernier a été l'un des derniers Bons-hommes du comté de Foix. Arrêté une première fois en 1303, il s'évada du « Mur » de Carcassonne, avec Bélibaste. Repris quelques années plus tard, il périt sur le bûcher.

Saint Augustin
et le catharisme

Argumentation catholique

Voici l'un des arguments que les controversistes catholiques utili-saient contre les cathares pour prouver qu'il n'existait pas de mauvais principe. Il est tiré du Ms. latin 13151, de la Bibliothè-que Nationale, publié par Ch. Molinier en 1910 : « Qu'il n'existe pas de principe du Mal, on peut le prouver ainsi contre les hérétiques. Aucune privation ne peut être séparée de son sujet, comme on le voit par l'exemple de la claudication ou de la cécité. Le Mal, en effet, si on le conçoit comme absolument détaché de son sujet, n'est rien du tout. Car aucune déficience d'être n'existe en tant qu'être. Le Mal n'a donc aucune existence en lui-même : il n'existe que dans la mesure où, comme nous l'avons admis, il adhère à un sujet. » On reconnaît là la théorie augustinienne du Mal : amissio boni, *c'est-à-dire simple perte ou privation du Bien. C'est à cette théorie que Durand de Huesca, dans son* Livre contre les manichéens, *reste fidèlement et trop étroitement attaché. Ilest plus augustinien que saint Augustin.*

Il se trouve que saint Augustin, en partant précisément de l'idée que le Mal est toujours imprimé en creux, pourrait-on dire, dans un sujet, a été amené cependant à donner au Mal, tel qu'il se fait dans la créature pécheresse, une certaine existence. Rappelons d'abord, pour plus de clarté, les trois acceptions, très différentes, que prennent, dans l'augustinisme, le néant et les mots qui le désignent : *nihilum* ou *nihil :*

1) *Nihil,* plus souvent *nihilum,* est d'abord le néant absolu d'où Dieu a tiré la création. Cette création *ex nihilo* n'intéresse en aucune façon les cathares qui pensaient, au contraire, que la création bonne était «de l'essence de Dieu» (*ex essentia Dei*), et la création maligne, «de l'essence du Diable» (*ex essentia Diaboli*). En cette matière, les théories de saint Augustin et celles du catharisme étaient absolument inconciliables.

2) *Nihil* est encore le néant absolu que représente le Mal sur le plan métaphysique. Pour saint Augustin, le mal n'est rien du tout. Il n'est pas un principe indépendant et éternel et, dans les créatures, il n'est que privation, *amissio boni,* comme nous l'avons dit : «perte du Bien». C'est ainsi que, sur le plan physique, la surdité, la claudication, ne sont pas des êtres

séparés de leurs sujets. Les cathares rejetaient cette théorie comme étant la chose du monde la plus opposée à leur système. Ils ne pensaient pas du tout que le Mal fût simple privation du Bien. Le Mal pour eux était un principe.

3) Mais l'augustinisme est plus riche et plus subtil que ne l'imaginait Durand de Huesca. Il est aisé de constater que saint Augustin appelle souvent *nihil* (pris comme substantif : le rien) ou *nihilum* (substantif : le néant) le Mal qui — pour néant qu'il soit en lui-même et dans l'absolu — n'en devient pas moins «quelque chose» dans la créature pécheresse qui le fait. Le *Nihil* n'est donc plus ici le néant absolu, mais un néant relatif : il correspond à l'état ontique de la créature qui, à la suite du péché et de la corruption, a subi une diminution d'être, une dégradation de son essence. Et naturellement, saint Augustin désigne l'ensemble des choses «qui n'ont pas été créées par le Verbe» (les ténèbres, par exemple, qui ne sont pas dans la lumière) par le même terme de *nihil* qu'emploiera le cathare Bartholomé pour caractériser la création maligne.

Les ressemblances s'arrêtent là. Non seulement le dualisme cathare demeure absolument irréductible au monisme augustinien, mais la théorie même des degrés de l'être et de sa nihilisation relative par le péché n'est pas utilisée de la même façon dans les deux doctrines. Dans saint Augustin, la néantisation (relative) n'affecte que les âmes (créées d'abord bonnes) et non point, comme dans le catharisme, la création matérielle. La matière, chez saint Augustin, conserve toute la positivité compatible avec la finitude.

D'autre part la néantisation du pécheur a eu, pour saint Augustin, un commencement. Elle a d'abord atteint l'ange rebelle, péchant par libre arbitre, puis l'âme humaine devenue à son tour pécheresse. De sorte qu'elle n'est pas imputable à Dieu (elle se fait «en dehors de Dieu»), mais seulement à sa créature, ou plutôt à la liberté capable d'inventer le Mal. Il n'y a donc pas de Mal absolu, de Mal principe. Ce qui a été fait sans Dieu, ou hors de Dieu, disait saint Augustin, c'est l'homme qui le fait.

Ce qui a été fait sans Dieu, disaient les cathares, c'est le Diable qui le fait. Aussi, pour ces derniers, la création maligne tout entière est-elle néantisée originellement et nécessairement par ce principe satanique impuissant à créer les essences incorruptibles. Le mauvais principe lui-même est *nihil,* comme le Lucifer de saint Augustin, mais il l'est, lui, de toute éternité.

Même sur les points où le catharisme et l'augustinisme semblent s'accorder, on voit que c'est par accident et pour des raisons toutes différentes. Par exemple, pour saint Augustin la nihilisation de l'âme par le péché (*sine te factus sum nihil* : «Sans toi je suis devenu un néant») ne peut pas être totale, parce que Dieu ne veut pas anéantir sa créature. Pour les cathares, la création maligne — quoique *nihil,* dans son fonds — ne peut pas non plus s'anéantir complètement, mais pas pour les mêmes raisons. De sorte qu'on pourrait presque dire en simplifiant les choses que pour l'augustinisme le Mal, qui n'est rien, manifeste cependant ses effets sur les créatures en diminuant leur être («le Diable, en inclinant ses sentiments vers ce qui avait moins d'être — *id quod minus est* —, commença à avoir moins d'être qu'auparavant — *minus esse coepit quam erat* — et selon son propre degré tendit au néant — *tetendit ad nihilum*»). Tandis que, pour le catharisme, le Mal qui a une certaine existence voit dans les créatures ses effets s'annuler et s'approcher indéfiniment du néant sans l'atteindre jamais. Pour saint Augustin, le Mal est un néant, plus quelque chose ; pour les cathares, quelque chose, plus un néant. Ces «néants» eux-mêmes n'ont point tout à fait la même signification métaphysique. Selon saint Augustin la corruption vient du néant absolu, celui d'où Dieu a tiré la créature libre qui peut, si elle le veut, tendre à ce néant d'où elle a été tirée. Pour les cathares, elle procède du «quasi-néant» satanique, c'est-à-dire du mauvais principe lui-même, car la créature est tirée de l'essence du créateur. C'est en ce sens que Bartholomé pouvait dire que la création maligne a été tirée du *nihil,* et que, si elle est nihilisée, c'est parce que son créateur est lui-même *nihil* (néant relatif).

Il n'en reste pas moins qu'en dépit des divergences le *nihil,* qu'il soit péché primordial, comme dans le catharisme, ou qu'il découle de la corruption par le péché, comme dans l'augustinisme, présente — en tant que déficience ontique affectant divers niveaux de la manifestation — exactement les mêmes caractères. L'état final où arrive dans l'augustinisme la créature bonne, devenue pécheresse, est le même que celui où sont de toute éternité, et par nature, les mauvais esprits émanés du

mauvais principe (c'est pourquoi, d'ailleurs, elle les rejoint aux enfers). On pourrait représenter le parallélisme entre les deux doctrines par le schéma suivant : *Augustinisme :* Libre arbitre-péché-corruption-état voisin du néant.
Catharisme : Nécessité-péché diabolique-corruption originelle et nécessaire-état voisin du néant.

L'originalité philosophique du catharisme s'exprime donc, surtout, par l'effort considérable qu'il a accompli pour transférer au mauvais principe, et à la création maligne, tous les caractères que le christianisme primitif et des Docteurs comme Origène et saint Augustin avaient prêtés à l'archange déchu et ontiquement dévalué par le péché. Sous ce rapport, non seulement le catharisme s'inscrit dans la tradition du christianisme, mais il n'y a rien en lui qui n'ait pu être tiré de l'Evangile de Jean, des textes scripturaires, de Lactance, d'Origène, de saint Augustin. A vrai dire, il semble presque directement issu d'un «certain» augustinisme.

Le dualisme cathare, absolu quant à l'éternité des deux principes, mais relatif quant à la valeur ontique respective de ces principes (y a-t-il jamais eu, d'ailleurs, un dualisme absolu en ce qui concerne ce dernier point?), représente une doctrine intermédiaire entre le monisme augustinien et le dualisme manichéen. Pour saint Augustin, «le Mal est une inclination de ce qui a l'être vers ce qui a moins d'être» (MM. Jolivet et Jourjon). Pour les manichéens, le Mal est une substance : «la matière». Pour les cathares, le Mal est une substance qui, par nature, a moins d'être que le Dieu de l'Etre et que les essences créées par lui. Cette doctrine a le mérite de répondre à une objection que tous les bons esprits n'ont pas manqué de faire au monisme, depuis le très orthodoxe Legrand (*De existentia Dei,* XVIIIe siècle : «Je reconnais, dit-il, qu'il est difficile d'expliquer comment un être suprême, unique, très bon, n'a pas écarté du monde conservé, fondé et ordonné par lui tout mal inhérent à la faute, tout mal inhérent au châtiment, qui s'annexe au Mal de la faute») jusqu'à l'objection que font avec plus de profondeur, à saint Augustin lui-même, MM. Jolivet et Jourjon : «Pourquoi, dans l'être qui est bon, cette tendance au néant?» Elle a le mérite aussi d'opposer rationnellement à la création immatérielle et incorruptible une autre création qui soit son contraire absolu sur le plan de l'être, puisqu'elle demeure aussi voisine du néant (*vicina nihilo*) qu'il est possible à un «existant» de l'être sans s'abolir complètement.

Le «traité cathare»
de Bartholomé

Parmi les ouvrages écrits par des catholiques pour combattre le catharisme, il n'en est pas de plus important que le Liber contra manicheos *(« Livre contre les manichéens », 1222-1223), de Durand de Huesca. Non seulement Durand y cite un certain nombre de fragments (simplifiés ou mutilés) du* Traité cathare *attribué à Bartholomé, mais, par la réfutation même qu'il en donne, il nous fait connaître, au chapitre XII, la pensée exacte du cathare sur les rapports de l'être et du néant dans la création maligne.*

Thèse cathare

«Les créatures que l'on peut voir dans ce monde sont mauvaises, vaines et corruptibles. De même qu'elles sont venues du néant, sans aucun doute elles retourneront au néant [...]. Nous disons qu'il existe un autre monde et d'autres créatures incorruptibles et éternelles [...]. Ce qui est dans le monde — ou du monde — peut être appelé *nihil* (néant relatif, «existant dévalué» ontiquement). L'Apôtre l'explique clairement : «Nous savons que l'idole est un néant dans le monde [...]» «Si je n'ai point la charité, je suis un néant (c'est-à-dire un existant dévalué ontiquement). D'où il est évident que si l'Apôtre sans la charité est néant, toute ce qui est sans charité est néant» (II Cor. 13, 2).

«Si donc tous les mauvais esprits, les hommes méchants et toutes les choses qui tombent en ce monde sous le sens de la vue, sont néant, parce qu'ils sont sans charité, c'est qu'ils ont été faits sans Dieu. Dieu ne les a point faits parce que le *nihil* (ce qui est néant relatif) a été fait sans Lui» (Jean 1, 3).

La pensée cathare est très claire : il y a des choses qui ont été faites sans Dieu (Jean, 1, 3) ; qui, par conséquent, ne sont pas «de sa substance» (*ex essentia Dei*). Elles ont été faites par le Diable. Ces êtres et choses : mauvais esprits, mauvais hommes, et tout le monde visible ont moins d'être que les essences incorruptibles créées par le vrai Dieu. Et elles ont moins d'être, parce qu'elles n'ont pas la charité qui, pour les cathares, est la substance même de Dieu. Ni les mauvais esprits ni la matière n'ont été créés dans la charité, ils sont donc *nihil* (néant relatif).

La théorie de la néantisation relative de la créature par le Mal — lequel est «tendance au néant» — procède vraisemblablement de saint Augustin (théorie de la nihilisation par le péché).

Réfutation de ces thèses par Durand de Huesca

1) Il n'y a pas de degrés dans l'être : une substance est ou n'est pas. Les choses vaines, corruptibles, transitoires sont aussi existantes que les autres, tant qu'elles existent : elles ont, elles aussi, été créées par le Dieu unique.

2) Le mot *nihil* — dont les cathares font une sorte de substantif pour lui faire signifier un «rien», une «chose» qui n'est pas située au même niveau ontique que les essences créées par le vrai Dieu — est toujours adverbe : il n'exprime qu'une «privation» : ne... rien. *Nihil sum :* je ne suis rien. Il ne signifie donc jamais une chose (vraie ou illusoire).

3) Dans tous les cas où c'est bien de néant (*nihil* et surtout *nihilum*) qu'il est question dans les textes scripturaires, il s'agit non d'un néant d'être, mais d'un néant moral ou d'un néant de valeurs.

Exemples :

«Tu as été fait un beau néant» (Ezéch. 28-19), cela veut dire : Tu n'es rien devenu (Ezéchiel s'adresse au «Prince de Tyr») de ce que tu voulais être (l'égal de Dieu).

«L'idole n'est qu'un néant dans le monde», cela veut simplement dire qu'elle ne contient en elle aucune divinité réelle. «Tu conduiras au néant (*ad nihilum*) toutes les nations», cela signifie : «Tu conduiras toutes les nations vers l'idolâtrie», etc.

Durand de Huesca ne réfute pas philosophiquement la théorie de Bartholomé : il se refuse même à examiner l'idée profonde du cathare que «les choses qui passent sont néant parce qu'elles passent». Ce qui l'intéresse, c'est de démontrer que les textes scripturaires ne peuvent pas être interprétés comme le fait Bartholomé. Et, certes, sa position est parfois soutenable : le verset de Jean peut aussi bien signifier : «Et sans Lui rien n'a été fait» que : «Et sans Lui a été fait le néant» (relatif). Peut-être même l'interprétation catholique est-elle plus «vraie». Mais partout ailleurs son argumentation est faible et contestable.

1) Il est faux que *nihil* ne puisse pas être pris en fonction substantive. Pour saint Augustin, en certains cas, *nihil sum* signifie : «je suis un nihil» et non pas toujours : «je ne suis rien», comme le croit Durand de Huesca.

2) Durand se trompe — ou est de mauvaise foi — quand il laisse entendre que les cathares substantivaient toujours le mot *nihil* (ce qui l'amène à risquer de désolants et absurdes raisonnements par l'absurde). Les cathares — comme saint Augustin — ne prenaient le mot *nihil* au sens de «chose néantisée» que dans le verset 1. 3 de Jean, dans les textes s'y rapportant et dans quelques autres citations (assez rares).

3) Il s'oppose à saint Augustin lui-même dans son interprétation de l'«idole». Pour saint Augustin, l'idole symbolise, sans nul doute, l'âme du pécheur néantisée par le péché. De même, dans le verset : *nihil factus es* («Néant tu as été fait»), saint Augustin comprend *nihil* comme le cathare : *Factus sum nihil :* je suis devenu un néant (relatif) et non pas : je ne suis rien devenu du tout.

4) Enfin : *Ad nihilum deduces omnes gentes :* «Vers le néant tu conduiras toutes les nations», ne peut pas signifier : «Tu mèneras toutes les nations vers l'idolâtrie».

On notera — ce qui est assez curieux — que les deux adversaires sont «augustiniens», chacun à sa façon. Durand de Huesca s'inspire d'un certain augustinisme — et notamment de l'idée que le Mal n'est rien du tout — pour réfuter le cathare ; mais le cathare s'appuie sur une théorie augustinienne, celle des degrés de l'Etre, pour établir sa propre conception de l'être nihilisé par le péché (saint Augustin a bel et bien dit que le Diable était *nihil*. Et Durand de Huesca semble s'en souvenir, au début de son *Traité*. Mais il ne nomme pas le coupable).

Rappelons enfin, pour finir, que l'éditrice de Durand de Huesca a soutenu, dans un article paru récemment, que le mot *nihil* «recouvrait simplement, pour les cathares», un ensemble de «réalités dépourvues de valeur». Sans doute la création maligne était-elle, pour eux, dépourvue de «valeur», mais elle était surtout dépourvue d'«être». S'il n'en était pas ainsi, la «réfutation» de Durand de Huesca n'aurait aucun sens, puisqu'elle consiste à substituer, dans tous les textes scripturaires où figurent les mots *nihil* ou *nihilum*, une interprétation morale à l'interprétation ontologique, qui était celle des cathares. Autrement dit, l'éditrice du *Liber contra manicheos* prête aux cathares la théorie que Durand adopte pour les réfuter.

On ne voit vraiment pas pourquoi Durand aurait reproché aux cathares de considérer que le Diable ne valait rien, ni ce monde-ci, puisque cela a toujours été l'opinion des catholiques. Bossuet ne nous invite-t-il pas à les tenir l'un et l'autre pour un néant (au sens moral et quant à leur «valeur»)? «Comptons comme un pur néant, a-t-il écrit, tout ce qui finit.»

Jean de Lugio :
Le livre des deux principes

De la création (extrait)

Que Dieu n'a créé ni les ténèbres ni le Mal

... Il résulte de tout ce qui précède, qu'il est absolument impossible de croire que le Seigneur vrai Dieu a créé, directement et dans le principe, les ténèbres et le Mal, ni surtout qu'il les a créés à partir du néant, comme nos adversaires le croient expressément, bien que Jean leur ait affirmé, dans la première Epître : que Dieu est la lumière même et qu'il n'y a point en lui de ténèbres (I Jean, 1, 5) et que, par conséquent, les ténèbres ne sont point par lui... Car les ténèbres n'ont point été créées directement et principalement, mais indirectement et à partir d'une réalité préexistante, comme nous l'avons démontré plus haut... (*Livre des deux principes*, éd. Dondaine, p. 108).

Traité du Libre arbitre (extrait)

Contre le libre arbitre

De même qu'il est impossible que le passé ne soit pas le passé, de même il est impossible que le futur ne soit pas le futur. En Dieu surtout qui sait et connaît depuis le commencement ce qui doit arriver, c'est-à-dire les causes selon lesquelles le futur est possible avant d'être existant, il a été sans doute nécessaire que l'avenir fût absolument déterminé dans sa pensée, puisqu'il savait et connaissait par lui-même, depuis l'éternité, toutes les causes qui sont nécessaires pour amener le futur à son effet. Et cela d'autant plus que, s'il est vrai qu'il n'y a qu'un principe principal (ou plutôt principiel), Dieu est lui-même la cause suprême de toutes les causes. Et, à plus forte raison, s'il est vrai que Dieu fait ce qu'il veut et que sa puissance n'est gênée par aucune autre comme l'affirment les adversaires de la vérité (les catholiques et les dualistes mitigés).

Et je dis derechef : si Dieu a su parfaitement, dès l'origine, que ses anges deviendraient des démons dans le futur, en raison de l'organisation qu'il leur avait lui-même donnée dans le principe, et parce que toutes les causes par lesquelles il fallait que ces anges devinssent, par la suite, des démons, étaient présentes dans sa Providence ; s'il est vrai, d'autre part, que Dieu n'a pas voulu les créer autrement qu'il les a créés, il s'ensuit nécessairement que les anges n'ont jamais pu éviter de devenir des démons. Ils le pouvaient d'autant moins qu'il est impossible que ce que Dieu sait être le futur puisse, de quelque façon, être changé en ce qui ne serait pas le futur; et surtout si l'on considère que Dieu connaît tout en lui-même, de toute éternité, selon la théorie exposée plus haut.

Comment donc les ignorants peuvent-ils affirmer que les anges auraient pu demeurer toujours bons, saints et humbles en présence de leur Seigneur, puisque cela était absolument impossible, de toute éternité, dans la Providence divine? Ils sont donc forcés de reconnaître, d'après leur propre thèse, et sur la foi de ces arguments très véridiques, que Dieu, dès l'origine, sciemment et en toute connaissance, a créé et fait ses anges en une imperfection telle qu'ils ne pussent en aucune façon éviter le Mal. Mais alors ce Dieu, dont nous avons dit précédemment qu'il était bon, saint et juste, et supérieur à toute louange (comme on l'a montré plus haut), serait la cause suprême et le principe de tout mal : ce qu'il convient de nier absolument. Par conséquent, il faut reconnaître l'existence de deux principes : celui du Bien et celui du Mal; ce dernier étant la source (*caput*) et la cause de l'imperfection des anges, comme d'ailleurs de tout le Mal. (*Livre des deux principes*, p. 203.)

Abrégé pour servir à l'instruction des ignorants (extrait)

Mon propos est de donner ici un résumé de ce qui a été dit précédemment, touchant la création du ciel, de la terre et de la mer, pour l'instruction des ignorants. Je pense que par *cieux* et *terre* sont désignées, parfois, dans les divines Ecritures, les créatures du vrai Dieu, douées d'intelligence, capables de comprendre et d'entendre, et non pas seulement les éléments, toujours changeants et privés de raison, de ce monde. Comme le dit David : «*Les cieux racontent la gloire de Dieu, et le firmament publie les ouvrages de ses mains*» (Ps. XVIII, I). On lit dans le *Deutéronome* : «*Cieux, écoutez ce que je vais dire; que la terre entende les paroles de ma bouche*» (XXXII, I); et dans Isaïe : «*Cieux, écoutez, et toi, terre, prête l'oreille : car c'est le Seigneur qui a parlé*» (Isa., I, 2). David dit encore : «*Terre, terre, écoutez la parole du Seigneur*» (Jér., XXII, 29); et ailleurs : «*Vous vous êtes fait un chemin dans la mer; vous avez marché au milieu des eaux*» (Ps. LXXVI, 20). Et c'est de ces voies, croyons-nous, que veut parler David, quand il dit : *«Toutes les voies du Seigneur ne sont que miséricorde et que vérité»* (Ps. XXIV, 10).

On entend donc par *ciel, terre* et *mer* des existants célestiels. Saint Jean dit, en effet, dans l'*Apocalypse* : *«Et j'entendis toutes les créatures qui sont dans le ciel, sur la terre, sous la terre, sur la mer, et tout ce qui y est renfermé, qui disaient : A celui qui est assis sur le trône et à l'Agneau, bénédiction et honneur, gloire et puissance dans les siècles des siècles»* (Apoc., V, 13). Et David : *«Je crois voir les biens du Seigneur dans la terre des vivants»* (Ps. XXVI, 13). Il dit aussi : *«Votre esprit qui est souverainement bon me conduira dans une terre droite»* (Ps. CXLII, 10). Salomon déclare : *«Mais les justes recevront la terre en héritage, et ils y demeureront durant tout le cours des siècles»* (Ps. XXXVI, 29). Le Christ a ordonné *«de ne jurer en aucune sorte par le ciel, parce que c'est le trône de Dieu»* — trône auquel pense sans doute David, quand il dit : *«Votre trône, ô Dieu, subsistera éternellement»* (Ps. XLIV, 7) — *«ni par la terre, parce que c'est son marchepied»* (Matth., V, 34-35). C'est notre Seigneur lui-même qui ajoute *«parce que c'est son marchepied»* (Hebr., I, 8). Et c'est à ce marchepied, croit-on, que David fait allusion : *«Craignez le Seigneur, notre Dieu, et adorez l'escabeau de ses pieds, parce qu'il est saint»* (Ps. XCVIII, 5).

De cette création-là, je veux bien admettre que notre seigneur Dieu est le créateur et l'auteur, mais non point des éléments de ce monde, impuissants et vides, dont il est peut-être question dans l'*épître aux Galates* : *«Comment vous tournez-vous vers des éléments impuissants et vides, sous lesquels vous voulez être dans un nouvel esclavage?»* (Gal., IV, 9). L'Apôtre dit encore aux Colossiens : *«Si donc en mourant avec Jésus-Christ vous êtes morts à ces grossiers «éléments» donnés au monde, comment vous laissez-vous imposer des lois, comme si vous viviez dans ce (premier état du) monde? Ne mangez pas (vous dit-on, d'une telle chose), ne goûtez pas (de ceci), ne touchez pas (à cela). Cependant ce sont des choses qui se consument toutes par l'usage»* (Col., II, 20-22). Encore moins pouvons-nous admettre que notre Seigneur soit le créateur et l'auteur de la mort, et des choses qui sont , par essence, dans la mort, parce que, comme il est écrit au livre de la *Sagesse*

« Dieu n'a point fait la mort. et il ne se réjouit pas de la perte des vivants » (Sap., I, 13). Il existe donc, sans aucun doute, un autre créateur ou «facteur», qui est principe et cause de la mort, de la perdition, et de tout mal, comme nous l'avons expliqué plus haut avec suffisamment de clarté.

De la toute-puissance du Seigneur vrai Dieu

Je voudrais parler maintenant de la toute-puissance du Seigneur vrai Dieu, laquelle permet si souvent à nos adversaires de faire les glorieux, quand ils soutiennent contre nous qu'il n'y a pas d'autre pouvoir ou puissance que les siens.

Bien que, dans les témoignagnes des Saintes-Ecritures, le Seigneur vrai Dieu soit appelé tout-puissant, il ne faut pas croire qu'il est appelé tel parce qu'il peut faire — et qu'il fait — tous les maux, car il existe beaucoup de maux *que le Seigneur ne peut — et ne pourra jamais — faire*. Comme le dit l'Apôtre aux Hébreux : *« Il est impossible que Dieu mente »* (Hébr., VI, 18); et le même Apôtre déclare dans la *seconde épître à Timothée* : *« Si nous lui sommes infidèles, il ne laissera pas de demeurer fidèle; car il ne peut pas se renoncer soi-même »* (II Tim., II, 13). Il ne faut pas croire, non plus que ce Dieu bon a le pouvoir de se détruire lui-même, et de commettre toutes sortes de méchancetés contre toute raison et toute justice : cela lui est d'autant plus impossible qu'il n'est pas lui-même la cause absolue du mal. Que si l'on nous objecte : «Nous avons le droit de dire, au contraire, que le Seigneur vrai Dieu est tout-puissant parce que, non seulement il peut faire — et il fait — tous les biens, mais aussi parce qu'il *pourrait faire* tous les maux — même mentir et se détruire lui-même — s'il *le voulait;* mais il ne le veut pas»; la réponse est facile.

Que Dieu ne peut pas faire le mal

Si Dieu ne *veut* pas tous les maux, s'il ne veut ni mentir ni se détruire lui-même, sans nul doute, il ne le *peut* pas. Car ce que Dieu dans son unité ne veut pas, il ne le peut pas; et ce qu'il ne peut pas, il ne le veut pas. Et, en ce sens, il faut dire que le pouvoir de pécher et de faire le mal (m. à m. : tous les maux) n'appartient pas au vrai Seigneur Dieu. La raison en est que : tout ce qui est pensé de Dieu comme étant son attribut est Dieu lui-même, parce qu'il n'est pas composé et qu'il ne comporte absolument pas d'«accidents», comme le savent les doctes. Il s'ensuit donc nécessairement que Dieu lui-même et sa volonté sont une seule et même chose. Le Dieu bon ne peut donc mentir, ni commettre toutes les méchancetés, s'il ne le veut pas, parce que ce vrai Dieu ne peut pas faire ce qu'il ne veut pas, étant donné — répétons-le — que lui-même et sa volonté sont une seule et même chose.

Que Dieu ne peut pas créer un autre Dieu

Je puis encore dire, très raisonnablement et sans crainte de me tromper, que le vrai Dieu, avec toute sa puissance, ne peut, n'a jamais pu, et ne pourra jamais ni volontairement, ni involontairement, ni de toute autre manière, créer un autre Dieu, Seigneur et créateur, semblable et absolument égal à lui en tous points; ce que je prouve : il est, en effet, impossible que le Dieu bon puisse faire un autre Dieu semblable à lui en toutes choses, c'est-à-dire : éternel et sempiternel, créateur et auteur de tous les biens, sans commencement ni fin, qui n'ait jamais était fait, ni créé, ni engendré par qui que ce soit, comme le Dieu bon qui n'a jamais été fait, ni créé ni engendré. Mais on ne dit pas pour cela dans les Saintes Ecritures, que le vrai Dieu est un Dieu impuissant. Il faut donc croire avec assurance que le Dieu bon n'est pas qualifié de tout-puissant parce qu'il *aurait pu* faire ou *pourrait* faire, tous les maux qui ont été, qui sont et qui seront, mais parce qu'il est vraiment tout-puissant *en ce qui concerne tous les biens* qui ont été, qui sont et qui seront, d'autant plus qu'il est la cause absolue et le principe de tout bien et qu'il n'est jamais, en aucune façon, par lui-même et essentiellement, cause d'un mal. Il s'ensuit donc que le vrai Dieu est appelé tout-puissant par les sages, dans tout ce qu'il fait, a fait ou fera dans le futur, mais que les gens qui pensent juste ne peuvent l'appeler tout-puissant par référence au prétendu pouvoir qu'il aurait de faire ce qu'il n'a jamais fait, ce qu'il ne fait pas, ce qu'il ne fera jamais. Quant à l'argument qui consiste à dire que «S'il ne le fait pas, c'est qu'il ne veut pas», nous avons déjà montré qu'il était sans valeur, puisque lui-même et sa volonté ne sont qu'un.

Que Dieu n'a pas le pouvoir de faire le mal et qu'il existe une autre puissance qui est le Mal

Puisque Dieu n'est pas puissant dans le mal, qu'il n'a pas le pouvoir de faire apparaître le mal, nous devons croire fermement qu'il y a un autre principe qui, lui, est puissant dans le mal. C'est de lui que proviennent tous les maux qui ont été, qui sont et qui seront; c'est de lui que David a voulu sans doute parler quand il dit : *« Pourquoi vous glorifiez-vous dans votre malice, vous qui n'êtes puissant que pour commettre l'iniquité ? Votre langue a médité l'injustice durant tout le jour; vous avez, comme un rasoir aiguisé, fait passer (insensiblement) votre tromperie. Vous avez plus aimé la malice que la bonté, et vous avez préféré un langage d'iniquité à celui de la justice »* (Ps. LI, 3-5). Et saint Jean dit dans l'*Apocalypse* : *« Le grand dragon, cet ancien serpent qui est appelé le diable et Satan, qui séduisit tout le monde, fut précipité en terre »* (Apoc., XII, 9); et le Christ dans l'évangile de Luc : *« La semence, c'est la parole de Dieu. Ceux qui sont marqués par le bord du chemin où il en tombe, sont ceux qui écoutent la parole, et du cœur desquels le diable vient ensuite enlever cette parole, de peur qu'il ne croient et ne soient sauvés »* (Luc, VIII, 11-12). Le prophète Daniel dit : *« Et comme je regardais attentivement, je vis que cette corne faisait la guerre contre les saints et avait l'avantage sur eux, jusqu'à ce que l'Ancien des jours parût. Alors il donna aux saints du Très-Haut la puissance de juger, etc. »* (Dan., VII, 21-22); et il dit encore : *« Il s'en élèvera un autre après eux, qui sera plus puissant que ceux qui l'auront devancé, et il abaissera trois rois. Il parlera insolemment contre le Très-Haut, il foulera aux pieds les saints du Très-Haut, et il s'imaginera qu'il pourra changer les temps et les lois »* (Dan., VII, 24-25); et à nouveau : *« Mais (de l'une de ces quatre cornes) il en sortit une petite qui s'agrandit fort vers le Midi, vers l'Orient, et vers les peuples les plus forts. Il éleva sa grande corne jusqu'aux armées du ciel, et il fit tomber les plus forts et ceux qui étaient comme des étoiles, et il les foula aux pieds. Il s'éleva même jusqu'au prince des forts, il lui ravit son sacrifice perpétuel, et il déshonora le lieu de son sanctuaire »* (Dan., VIII, 9-11). On dit dans l'*Apocalypse* de saint Jean : *« Un autre prodige parut aussi dans le ciel : un grand dragon roux, qui avait sept têtes et dix cornes, et sept diadèmes sur ses sept têtes. Il entraînait avec sa queue la troisième partie des étoiles du ciel, et il les fit tomber sur la terre »* (Apoc., XII, 3-4); et encore ceci : *« Et elle reçut le pouvoir de faire (la guerre) durant quarante-deux mois. Elle ouvrit donc la bouche pour blasphémer contre Dieu, pour blasphémer son nom, son taber-nacle, et ceux qui habitent dans le ciel. Il lui fut aussi donné le pouvoir de faire la guerre aux saints, et de les vaincre»* (Apoc., III, 5-7). S'appuyant sur de tels témoignages, les sages consi-dèrent comme impossible que ce Puissant, ainsi que son pou-voir ou force, ait été créé — essentiellement et directement — par le Seigneur vrai Dieu, puisqu'il œuvre tous les jours très malignement contre lui, et que ce Dieu, le nôtre, s'efforce vigoureusement de le combattre. Ce que ne ferait pas le vrai Dieu, si le mal procédait de lui, dans toutes ses dispositions, comme le soutiennent presque tous nos adversaires.

De la destruction du «Puissant-dans-le-mal»

Cela est clairement exprimé dans les divines Ecritures, que le Seigneur vrai Dieu détruira le «Puissant» et toutes ses forces, qui œuvrent chaque jour contre Lui et contre sa création. David a dit en effet de celui qui est puissant en malignité : *«C'est pourquoi Dieu vous détruira pour toujours; il vous arra-chera de votre place, vous fera sortir de votre tente, et ôtera votre racine de la terre des vivants»* (Ps. LI, 7). Et pour demander, croit-on, l'aide de son Dieu contre ce Puissant, David dit encore : *«Brisez le bras de l'impie et du méchant; vous le punirez de ses prévarications, et il ne sera plus. Le Seigneur régnera dans tous les siècles et dans l'éternité»* (Ps. X, 15-16). Il dit aussi : *«Un moment encore, et le méchant ne sera plus; vous regarderez le lieu où il était, et vous ne l'y trouverez plus»* (Ps. XXXVI, 10). Il est écrit dans les *Proverbes de Salomon : «L'impie sera rejeté dans sa malice»* (Prov., XIV, 32). L'Apô-tre, faisant allusion à la destruction du «Puissant» par l'avène-ment de notre Seigneur Jésus-Christ, dit aux Hébreux : *«...afin de détruire par sa mort celui qui avait l'empire de la mort, c'est-à-dire le diable»* (Hebr., II, 14). Ainsi, notre Seigneur s'est efforcé de détruire, non pas seulement ce Puissant, mais aussi toutes les Forces ou Dominations qui ont paru quelquefois dominer, par le Puissant, les créatures du Dieu bon soumises à l'empire de ce méchant. C'est ce que dit la Sainte Vierge dans l'évangile selon saint Luc : *«Il a arraché les grands de leurs trônes, et il a élevé les petits»* (Luc, I, 52); et l'Apôtre, dans la première épître aux Corinthiens : *«Et alors viendra la consom-*

mation de toutes choses, lorsqu'il aura remis le royaume à son Dieu et son Père, et qu'il aura anéanti tout empire, toute Vertu (maligne), toute domination et toute puissance... et la mort sera le dernier ennemi qui sera détruit» (I Cor., XV, 24-26). Le même Apôtre dit aux Colossiens : «*Rendant grâces à Dieu le père qui, par la lumière de la foi, nous a rendus dignes d'avoir part au sort et à l'héritage des saints; qui nous a arrachés de la puissance des ténèbres, et nous a fait passer dans le royaume de son Fils bien-aimé»* (Col., 1, 12-13). Il dit également : «*En effet, lorsque vous étiez morts par vos péchés et dans l'incirconcision de votre chair, Jésus-Christ vous a fait revivre avec lui, vous pardonnant tous vos péchés. Il a effacé par ses ordonnances la cédule écrite de notre main, laquelle rendait témoignage contre nous : il a entièrement aboli cette cédule qui nous était contraire en l'attachant à sa croix. Et ayant désarmé les principautés et les puissances, il les a exposées en spectacle, après en avoir triomphé par lui-même»* (Col., II, 13-15). C'est ainsi que saint Paul fut envoyé par le Seigneur Jésus-Christ pour dépouiller cette Puissance, comme il est écrit, à propos de lui, dans les Actes des Apôtres : «*Car je vous suis apparu, afin de vous établir le ministre et le témoin des choses que vous avez vues, et de celles aussi que je vous montrerai en vous apparaissant de nouveau. Et je vous délivrerai de ce peuple, et des Gentils vers lesquels je vous envoie maintenant, pour leur ouvrir les yeux, afin qu'ils se convertissent des ténèbres à la lumière, et de la puissance de Satan à Dieu; et que par la foi qu'ils auront en moi, ils reçoivent la rémission de leurs péchés, et qu'ils aient part à l'héritage des saints»* (Act., XXVI, 16-18). Et le Christ dit dans l'évangile de saint Matthieu : «*Vous êtes venus ici armés d'épées et de bâtons pour me prendre comme si j'étais un voleur; j'étais tous les jours assis au milieu de vous, enseignant dans le temple, et vous ne m'avez point arrêté»* (Matth., XXVI, 55). «*Mais c'est ici votre heure, et la puissance des ténèbres»* (Luc, XXII, 53). D'où l'on doit croire que la puissance de Sathanas et des ténèbres ne peut pas procéder directement et immédiatement du Seigneur vrai Dieu. Car si le pouvoir de Sathanas et des ténèbres procédait directement et immédiatement du vrai Dieu — avec toutes les autres puissances, vertus et dominations (du mal) — comme le disent les ignorants, on ne comprendrait pas comment Paul et tous les autres fidèles de Jésus-Christ auraient pu être «arrachés à la puissance des ténèbres». Ni comment ils auraient pu se convertir de cette puissance de Satan au vrai Seigneur Dieu. Surtout, si l'on considère qu'en s'arrachant à la puissance des ténèbres, ils se sont, en réalité, arrachés, proprement et essentiellement, à celle de notre Seigneur Dieu, puisque toutes les puissances et vertus émanent (selon la foi de nos adversaires), proprement et essentiellement, du Dieu bon. Et comment ce Dieu bon aurait-il pu dépouiller et éliminer une autre puissance que la sienne, s'il est vrai qu'il n'en existe point d'autre en face de lui, comme le disent tous les adversaires de ces vrais chrétiens qu'on appelle, à juste titre, *Albanenses?*

Du mauvais principe

C'est pourquoi, de l'avis de tous les sages, il faut croire absolument qu'il existe un autre principe, celui du Mal, qui est *puissant en iniquité,* et dont la puissance de Sathanas, celle des ténèbres et de toutes les autres dominations qui s'opposent au vrai Dieu, découlent singulièrement et principiellement comme nous l'avons déjà montré et comme nous espérons, grâce à Dieu, le faire mieux voir encore par la suite. Que s'il n'en était pas ainsi, il apparaîtrait à ces mêmes sages, de façon évidente, que la Puissance divine combat contre elle-même, se détruit elle-même, est toujours en lutte contre elle-même. L'Apôtre dit aux Ephésiens : «*Au reste, mes frères, fortifiez-vous dans le Seigneur, et en sa vertu toute-puissante. Revêtez-vous de toutes les armes de Dieu, pour pouvoir vous défendre des artifices du diable. Car nous avons à combattre, non contre des hommes de chair et de sang, mais contre les principautés et les puissances contre les princes de ce monde, c'est-à-dire de ce siècle ténébreux, contre les esprits de malice répandus dans l'air. C'est pourquoi prenez toutes les armes de Dieu, afin que vous puissiez résister au jour mauvais, et demeurer fermes sans avoir rien omis de vos devoirs. etc. Couvrez-vous entièrement avec le bouclier de la foi, avec lequel vous pourrez éteindre tous les traits enflammés du malin esprit*» (Ephés., VI, 10-13 ; 16). Ainsi, les vertus et les puissances du Seigneur vrai Dieu se combattraient entre elles, chaque jour, par sa propre volonté, s'il n'y avait pas une autre puissance que la sienne! Il est absurde de penser cela du vrai Dieu. Il s'ensuit donc, sans aucun doute, qu'il existe une autre puissance ou *Pouvoir* non vrai, que le Seigneur Dieu s'efforce chaque jour de combattre, comme nous l'avons fait voir très clairement à ceux qui peuvent le comprendre.

Du dieu étranger et de beaucoup d'autres dieux

Qui aura bien examiné l'ensemble des arguments très véridiques que nous venons de rappeler, admettra sans hésiter qu'il existe un autre Dieu, seigneur et prince, en dehors du vrai Seigneur Dieu, et que son existence est démontrée avec évidence par les témoignages des divines Ecritures. Le Seigneur dit, en effet, lui-même par la bouche d'Isaïe : «*Comme vous m'avez abandonné pour adorer un dieu étranger dans votre propre pays, ainsi vous serez assujettis à des étrangers dans une terre étrangère*» (Jér., V, 19). Il est écrit encore : «*Assemblez-vous, venez et approchez, vous tous qui avez été sauvés des nations. Ceux-là sont plongés dans l'ignorance qui élèvent en son honneur une sculpture de bois, et qui adressent leurs prières à un Dieu qui ne peut sauver*» (Isa., XLV, 20). Et ailleurs encore : «*Seigneur, notre Dieu, des maîtres étrangers nous ont possédés sans vous; faites qu'étant dans vous maintenant, nous ne nous souvenions que de votre nom*» (Isa., XXVI, 13). Et David a dit : «*Ecoutez, mon peuple, et je vous attesterai ma volonté. Israël, si vous voulez m'écouter, vous n'aurez point parmi vous un Dieu nouveau, et vous n'adorerez point un Dieu étranger*» (Ps. LXXX, 9-10). Il a dit également : «*Si nous avons oublié le nom de notre Dieu, et si nous avons étendu nos mains vers un Dieu étranger, Dieu n'en redemandera-t-il pas compte?*» (Ps. XLIII, 21). Et encore : «*Les princes des peuples se sont assemblés et unis avec le Dieu d'Abraham, parce que les dieux puissants de la terre ont été extraordinairement élevés*» (Ps. XLVI,10). Et encore : «*Tous les dieux des nations sont des démons*» (Ps. XCV, 5). Sophonie déclare : «*Le Seigneur se rendra terrible dans leur châtiment; il anéantira tous les dieux de la terre*» (Soph., II, 11); et Jérémie : «*Ceux de Juda et les habitants de Jérusalem ont fait une conjuration contre moi... Ceux-ci ont couru de même après des dieux étrangers pour les adorer*» (Jér., XI, 9-10). Jérémie dit ailleurs : «*(Vous leur direz) : c'est parce que vos pères m'ont abandonné, dit le Seigneur, qu'ils ont couru après les dieux étrangers, qu'ils les ont servis et adorés, et qu'ils m'ont abandonné et n'ont point observé ma loi. Mais vous-mêmes, vous avez encore fait plus de mal que*

vos pères : car chacun de vous suit les égarements et la corrup-
tion de son cœur, et ne veut point écouter ma voix Je vous
chasserai de ce pays dans une terre qui vous est inconnue,
comme elle l'a été à vos pères, et vous servirez là, jour et nuit, des
dieux étrangers qui ne vous donneront aucun repos » (Jér., XVI
11-13). On lit dans Malachie : *«Judas a violé la loi, et l'abomi-*
nation s'est trouvée dans Israël et dans Jérusalem, parce que
Judas, en prenant pour femme celle qui adorait des dieux étran-
gers, a souillé le peuple consacré au Seigneur, et qui lui était si
cher» (Malach., II, 11). Et dans Michée : *«Que chaque peuple*
marche sous la protection de son Dieu; mais pour nous, nous
marcherons sous la protection du Seigneur notre Dieu, jusque
dans l'éternité et au-delà de l'éternité» (Mich., IV, 5). Et l'Apôtre dit dans la *seconde épître aux Corinthiens : «Que si l'évan-*
gile que nous prêchons est encore voilé, c'est pour ceux qui
périssent qu'il est voilé; pour ces infidèles dont le dieu de ce
siècle a aveuglé les esprits, afin qu'ils ne soient point éclairés par
la lumière de l'évangile glorieux et éclatant de Jésus-Christ, qui
est l'image de Dieu» (II Cor., IV, 3-4) Le même dit dans la
première épître aux Corinthiens : «Car encore qu'il y en ait, soit
dans le ciel ou dans la terre, qui sont appelés dieux, et qu'en ce
sens il y ait plusieurs dieux et plusieurs seigneurs, il n'y a néan-
moins pour nous qu'un seul Dieu» (I Cor., VIII, 5-6). Le
Christ dit dans l'évangile de saint Matthieu : *«Nul ne peut servir*
deux maîtres; car, ou il haïra l'un et aimera l'autre, ou il respec-
tera l'un et méprisera l'autre : vous ne sauriez servir Dieu et
l'argent (Mammon)» (Matth., VII, 24). Le Christ dit à nouveau
dans l'évangile de Jean : *«Car le prince du monde va venir, quoi*
qu'il n'y ait rien en moi qui lui appartienne» (Ioan., XIV. 30);
et encore : *«C'est maintenant que le monde va être jugé; c'est*
maintenant que le prince de ce monde va être chassé dehors»
(Ioan., XII, 31); et encore : *«Parce que le prince de ce monde*
est déjà jugé» (Ioan, XVI, 11). Les apôtres ont dit dans leurs
Actes : *«Pourquoi les nations se sont-elles émues, et pourquoi*
les tribus ont-elles formé de vains projets? Les rois de la terre se
sont élevés, et les princes se sont ligués ensemble contre le Sei-
gneur et contre son Christ. Car Hérode et Ponce Pilate avec les
nations profanes et les tribus d'Israël se sont vraiment ligués
ensemble dans cette ville contre votre saint Fils Jésus, que vous
avez consacré par votre onction, etc. » (Act., IV. 25-27). Ainsi

l'on voit clairement qu'il est possible de trouver, dans les témoignages des divines Ecritures, la preuve de l'existence de nombreux dieux, seigneurs et princes, adversaires du Seigneur vrai Dieu et de son Fils Jésus-Christ, ce qui confirme ce que nous avions déjà démontré plus haut.

Qu'il est aussi question dans les textes sacrés d'une éternité mauvaise

Qu'il existe, pour ces seigneurs et princes, une éternité, une sempiternité, une «antiquité» distinctes de celles qui appartiennent au vrai Seigneur Dieu, cela aussi, nous pouvons facilement le prouver par le témoignage des Ecritures. Le Christ dit dans l'évangile de Matthieu : « *(Alors le roi dira à ceux qui seront à sa gauche) : Allez loin de moi, maudits, au feu éternel, qui a été préparé pour le diable et pour ses anges* » (Matth., XXV, 41) ; et saint Jude (frère) de Jacques : « *Il retient liés de chaînes éternelles, dans de profondes ténèbres, et réserve pour le jugement du grand jour, les anges qui n'ont pas conservé leur première dignité, mais qui ont quitté leur propre demeure* » (Jud., 6-7). Le même dit au verset suivant : « *Et que de même, Sodome et Gomorrhe, et les villes voisines, qui s'étaient débordées comme elles, dans les excès d'impureté, et s'étaient portées à renverser l'institution de la nature, ont été proposées pour un exemple de feu éternel, par la peine qu'elles ont soufferte* » (Jed., 7). Le bienheureux Job dit lui aussi : « *... où habite l'ombre de la mort, où tout est sans ordre et dans une éternelle horreur* » (Job., X, 22). Par la bouche d'Ezéchiel, le Seigneur déclare au sujet du mont Seyr : « *Je vous réduirai en des solitudes éternelles* » (Ezéch., XXXV, 9) ; et au même chapitre : « *Voici ce que dit le Seigneur, votre Dieu ; je viens à vous, montagne de Seyr ; j'étendrai ma main sur vous et je vous rendrai toute déserte et abandonnée. Je détruirai vos villes, vous serez déserte, et vous saurez que c'est moi qui suis le Seigneur, parce que vous avez été l'éternel ennemi des enfants d'Israël, et que vous les avez poursuivis l'épée à la main au temps de leur affliction, au temps que leur iniquité était à son comble* » (Ezéch., XXXV, 3-5). Cet ennemi d'Israël, c'est le Diable, qui est aussi l'ennemi du vrai Dieu, comme l'a marqué Jésus-Christ lui-même dans l'évangile de saint Matthieu (XIII, 25, 39). L'Apôtre dit dans la *deuxième épître aux Thessaloniciens* : « *... qui souffriront la peine d'une* *éternelle damnation»* (II Thes., I, 9) ; et le Christ dans l'évangile de Matthieu : *«Et ceux-ci iront dans le supplice éternel»* (Matth., XXV, 46). Le Christ dit aussi dans l'évangile de saint Marc : *«Mais celui qui aura blasphémé contre le Saint-Esprit n'en recevra jamais le pardon, et il sera éternellement puni de ce péché»* (Marc, III, 29).

De l'éternité du diable le prophète Habacuc fait mention en ces termes : *«Dieu viendra du côté du midi, et le saint de la montagne de Pharan. Sa gloire a couvert les cieux, et la terre est pleine de ses louanges. Il jette un éclat comme une vive lumière; sa force est dans ses mains. C'est là que sa puissance est cachée. La mort paraîtra devant sa face et le diable marchera devant lui. Il s'est arrêté, et il a mesuré la terre. Il a jeté les yeux sur les nations, et il les a fait fondre (comme la cire); les montagnes du siècle ont été réduites en poudre. Les collines du monde ont été abaissées sous les pas du Dieu éternel»* (Habac., III, 3-6).

De l'«antiquité» du Diable, il est écrit dans l'*Apocalypse* : *«Et ce grand dragon, cet ancien serpent qui est appelé le Diable et Satan... fut précipité en terre»* (Apoc., XII, 9). Si, lorsqu'on dit qu'elles sont éternelles, sempiternelles, antiques, on veut faire entendre par là que les essences n'ont eu ni commencement ni fin — comme on admettra sans doute que cela est vrai pour le Dieu bon — il faut aussi tenir pour démontré, par les témoignages précédemment cités, que le péché, les châtiments, les angoisses et l'erreur, le feu et les supplices, les chaînes et le Diable lui-même, n'ont pas eu de commencement et n'auront pas de fin. Car que ces choses soient les noms dont on désigne le suprême principe du mal, ou seulement les noms dont on désigne ses *effets*, elles témoignent de toute façon de l'existence d'une cause unique du mal, éternelle, sempiternelle ou antique car si l'effet est éternel, sempiternel ou antique il faut nécessairement que la cause le soit aussi. Il existe, donc, sans nul doute, un mauvais principe d'où cette éternité, cette sempiternité et cette antiquité découlent directement et essentiellement.

Qu'il existe un autre Créateur ou «factor»

J'entends faire voir clairement par les Ecritures qu'il existe un autre dieu ou seigneur, qui est créateur et «facteur», en dehors de celui à la fidélité duquel recommandent leurs âmes ceux qui souffrent en faisant le Bien. Et d'autant plus clairement que je me placerai au point de vue de nos adversaires, en respectant la confiance qu'ils mettent dans les Anciennes Ecritures. Ils déclarent, en effet, publiquement, que ce Seigneur est le Créateur ou l'Auteur qui a créé et fait les choses visibles de ce monde, à savoir : le ciel, la terre et la mer, les hommes et les bêtes, les oiseaux et *tous les reptiles*, comme on le lit dans la *Genèse* : *« Au commencement Dieu créa le ciel et la terre. La terre était informe et toute nue »* (Gen., I, 1-2). Et, plus loin : *« Dieu créa donc les grands poissons, et tous les animaux qui ont la vie et le mouvement... et tous les oiseaux, selon leur espèce »* (Gen., I, 21) ; et au verset 25 : *« Dieu fit donc les bêtes sauvages de la terre selon leurs espèces, les animaux domestiques et tous les reptiles, chacun selon son espèce »* (Gen., I, 25) ; et enfin, au verset 27 : *« Et Dieu créa l'homme à son image ; il le créa à l'image de Dieu, et il le créa mâle et femelle »* (Gen., I, 27). Le Christ dit, lui aussi, dans l'évangile de saint Marc : *« Mais dès le commencement du monde, Dieu forma un homme et une femme »* (Marc, X, 6).

On doit considérer ici que nul, en ce monde, ne peut nous montrer ce dieu mauvais, d'une façon visible et temporelle — pas plus, d'ailleurs, que le Dieu bon —, mais que c'est par l'effet que l'on connaît la cause. C'est pourquoi il faut poser qu'on ne peut démontrer l'existence d'un dieu ou Créateur mauvais autrement que par ses œuvres mauvaises et ses paroles pleines d'inconstance. Ainsi, je dis que ce n'est pas le vrai créateur qui a fait et organisé les choses visibles de ce monde. Et je vais le prouver par ses actions malignes et ses paroles trompeuses, s'il est vrai que les œuvres et les paroles rapportées dans les Anciennes Ecritures ont bien été faites (et dites) par lui, dans le Temps, matériellement et réellement, comme nos adversaires l'affirment sans la moindre hésitation.

Nous éprouvons pour ces œuvres une indicible horreur : elles consistent, en effet, à commettre l'adultère, à voler le bien d'autrui, à maudire ce qui est saint, à consentir au mensonge, à donner sa parole avec serment ou sans serment, et à ne pas la tenir. Ce sont là toutes choses abominables qui ont été faites par le Dieu en question, dans ce monde temporel, et d'une façon visible et concrète, si l'on se place au point de vue adopté par nos adversaires pour interpréter les Anciennes Ecritures : ils croient en effet que ces Ecritures parlent de la création et de l'organisation de ce monde-ci, et des œuvres qui y ont été faites dans le temps, matériellement et visiblement. Et ils sont bien forcés de le croire, ceux qui pensent qu'il n'y a qu'un seul principe principiel. Je le montrerai de façon évidente, par les Ecritures elles-mêmes interprétées selon la foi.

Que le mauvais dieu a commis fornication

Ce Seigneur et Créateur a ordonné dans le *Deutéronome* : « *Si un homme dort avec la femme d'un autre, l'un et l'autre mourront, l'homme adultère et la femme adultère; et vous ôterez le mal du milieu d'Israël* » (Deut., XXII, 22). Et encore dans le *Deutéronome* : « *Un homme n'épousera point la femme de son père, et il ne découvrira point ce que la pudeur doit cacher* » (Deut., XXII, 30). Ce Seigneur dit lui-même dans le *Lévitique* : « *Vous ne découvrirez point dans la femme de votre père ce qui doit être caché, parce que vous blesseriez le respect dû à votre père* » (Lév., XVIII, 8). Et aussi : « *Si un homme abuse de sa belle-mère, et s'il viole à son égard le respect qu'il aurait dû à son père, qu'ils soient tous deux punis de mort* » (Lév., XX, II).

Or en violation de ses propres préceptes, ce Seigneur et Créateur a ordonné, en ce monde temporel et de façon patente, de commettre l'adultère, charnellement et réellement; et cela selon la croyance même et l'interprétation de nos adversaires; au *second livre des Rois* nous trouvons, très clairement exprimé, ce qui suit — et nous le comprenons comme eux : le Seigneur lui-même, et créateur, dit, en effet, à David par la bouche du prophète Nathan : « *Pourquoi donc avez-vous méprisé ma parole, en commettant un tel crime devant mes yeux? Vous avez fait perdre la vie à Urie Héthéen, vous lui avez ôté sa femme, et l'avez prise pour vous; et vous l'avez tué par l'épée des enfants d'Ammon. C'est pourquoi l'épée ne sortira jamais de votre maison, parce que vous m'avez méprisé, et que vous avez pris pour vous la femme d'Urie Héthéen. Voici donc ce que dit le Seigneur : Je vais vous susciter des maux qui naîtront de votre propre maison. Je prendrai vos femmes à vos yeux; je les donnerai à celui qui vous est le plus proche, et il dormira avec elles aux yeux de ce soleil que vous voyez. Car pour vous, vous avez fait cette action en secret; mais pour moi je la ferai à la vue de tout Israël»* (II Reg., XII, 9-12). D'où l'on doit conclure que, selon la foi de nos adversaires mêmes, ou bien ce dieu, et créateur, a été menteur ou bien il a, sans aucun doute, et réellement, perpétré l'adultère, comme on voit qu'il le fait ouvertement au *second livre des Rois*, de l'aveu même de nos adversaires : *«Achitophel dit à Absalon : Voyez les concubines de votre père, qu'il a laissées pour garder son palais, afin que, lorsque tout Israël saura que vous avez déshonoré votre père, ils s'attachent plus fortement à votre parti. On fit donc dresser une tente pour Absalon sur la terrasse du palais du roi; et il y entra avec les concubines de son père devant tout Israël»* (II Reg., XVI, 21-22). C'est ainsi que ce Seigneur et Créateur a accompli cette œuvre d'adultère (qu'il avait dit qu'il accomplirait), réellement et visiblement, en ce monde-ci (toujours selon l'interprétation de nos adversaires), et surtout en violation du précepte qu'il avait donné lui-même — et que nous avons rappelé plus haut — : «Si un homme dort avec la femme d'un autre, etc.» Aucune personne sensée ne voudra croire que c'est le vrai Créateur qui a donné ainsi — réellement — les femmes d'un homme à son fils — ou à tout autre — pour perpétrer avec elles la fornication, comme l'a fait le créateur des choses visibles de ce monde, selon ce que soutiennent les ignorants, et comme nous l'avons fait voir précédemment. Rappelons que Notre-Seigneur, ce vrai Dieu, n'a jamais ordonné de commettre en ce monde, et de façon effective, l'adultère et la fornication. L'Apôtre dit, en effet, dans la *première épître aux Corinthiens* : *«Ne vous y trompez pas : ni les fornicateurs... ni les adultères ne seront héritiers du royaume de Dieu»* (I Cor., VI, 9-10). Le même Apôtre dit aux Ephésiens : *«En effet soyez bien persuadés que nul fornicateur, nul impudique...ne sera héritier du royaume du Christ et de Dieu»* (Ephés., V, 5). Et il dit encore aux Thessaloniciens : *«En effet la volonté de Dieu est que vous soyez saints; que vous vous absteniez de la fornication»* (Thes., IV, 3). Ce n'est certes pas notre vrai créateur qui, dans le monde temporel, en ce monde-ci, a pris les femmes de David et les a données à celui qui lui était le plus proche, pour qu'il fît l'adultère avec elles, à la vue de tout Israël et à la face du soleil, comme on l'a vu dans le texte précité. Il faut donc, sans nul doute, qu'il existe un autre créateur, cause et principe de toute fornication et de tout adultère en ce monde-ci.

Que le mauvais dieu a ordonné de ravir par la force le bien d'autrui et de commettre l'homicide

Que le susdit Seigneur et créateur a fait enlever par la force le bien d'autrui et dérober réellement — et pour son avantage — les trésors des Egyptiens; qu'il a fait perpétrer, dans ce monde matériel, le plus grand des homicides, nous sommes en mesure de le montrer, en toute évidence, par les Ecritures anciennes interprétées selon la foi de nos contradicteurs. Le Seigneur lui-même dit à Moïse dans l'*Exode : «Vous direz donc à tout le peuple : Que chaque homme demande à son ami, et chaque femme à sa voisine, des vases d'argent et d'or ; et le Seigneur fera trouver grâce à son peuple devant les Egyptiens»* (Exod., XI, 2). Il dit ensuite : *«Les enfants d'Israël firent ce que Moïse leur avait ordonné, et ils demandèrent aux Egyptiens des vases d'argent et d'or, et beaucoup d'habits. Et le Seigneur rendit favorables à son peuple les Egyptiens, afin qu'il leur prêtassent ce qu'ils demandaient, et ils dépouillèrent ainsi les Egyptiens»* (Exod., XII, 35-36). Dans le *Deutéronome*, Moïse dit à son peuple : *«Quand vous vous approcherez pour assiéger une ville, vous lui offrirez la paix d'abord. Si elle l'accepte et qu'elle vous ouvre ses portes, tout le peuple qui s'y trouvera sera sauvé, et il vous sera assujetti en vous payant le tribut. Que si elle ne veut point recevoir les conditions de paix, et qu'elle commence à vous déclarer la guerre, vous l'assiégerez. Et lorsque le Seigneur votre Dieu vous l'aura livrée entre les mains, vous ferez passer tous les mâles au fil de l'épée, en réservant les femmes, les enfants, les bêtes, et tout le reste de ce qui se trouvera dans la ville. Vous partagerez le butin à toute l'armée, et vous vous nourrirez des dépouilles de vos ennemis, que le Seigneur votre Dieu vous aura données. C'est ainsi que vous en userez à l'égard de toutes les villes qui seront fort éloignées de vous, et qui ne sont pas de celles que vous devez recevoir pour être votre héritage. Mais quant à ces villes qu'on vous doit donner pour vous, vous ne laisserez la vie à aucun de leurs habitants ; mais vous les ferez tous passer au fil de l'épée, c'est-à-dire les Héthéens, les Amorrhéens, les Chananéens, les Phérézéens, les Hévéens et les Jébuséens, comme le Seigneur votre Dieu vous l'a commandé»* (Deut., XX, 10-17). On lit encore dans le *Deutéronome* : *«Séhon marcha donc au-*

devant de nous avec tout son peuple pour nous donner bataille à *Jasa*; et le Seigneur notre Dieu le livra entre nos mains, et nous le *défîmes avec ses enfants et tout son peuple. Nous prîmes en même temps toutes ses villes, nous en tuâmes tous les habitants, hommes, femmes et petits enfants, et nous n'y laissâmes rien du tout»* (Deut., II, 32-34). Et ceci encore : *«Le Seigneur notre Dieu livra donc aussi entre nos mains Og, roi de Basan, et tout son peuple; nous les tuâmes tous sans en excepter aucun, et nous ravageâmes toutes leurs villes en un même temps. Il n'y eut point de ville qui pût échapper à nos mains; nous prîmes soixante villes, tout le pays d'Argob, qui était le royaume d'Og, en Basan, etc. Nous exterminâmes ces peuples comme nous avions fait pour Séhon, roi d'Hesebon, en ruinant toutes leurs villes, en tuant les hommes, les femmes et les petits enfants; et nous prîmes leurs troupeaux, avec les dépouilles de leurs villes»* (Deut., III, 3-4; 6-7).

A propos de l'homme qui ramassait du bois le jour du sabbat, on lit au livre des *Nombres* : *«Or les enfants d'Israël étant dans le désert, il arriva qu'ils trouvèrent un homme qui ramassait du bois le jour du sabbat, et l'ayant présenté à Moïse, à Aaron et à tout le peuple, ils le firent mettre en prison, ne sachant ce qu'ils devaient faire. Alors le Seigneur dit à Moïse : Que cet homme soit puni de mort, et que tout le peuple le lapide hors du camp»* (Num., XV, 32-35). Le même Seigneur dit au peuple israélite, dans l'*Exode* : *«Je remplirai le nombre de vos jours. Je ferai marcher devant vous la terreur de mon nom; j'exterminerai tous les peuples des pays où vous entrerez, et je ferai fuir tous vos ennemis devant vous»* (Exod., XXIII, 26-27). Et il s'exprime ainsi dans le *Lévitique* : *«Vous poursuivrez vos ennemis, et ils tomberont en foule devant vous. Cinq d'entre vous en poursuivront cent, et cent d'entre vous en poursuivront dix mille; vos ennemis tomberont sous l'épée devant vos yeux»* (Lév., XXVI, 7-8); et encore ainsi au livre des *Nombres* : *«Que si vous ne voulez pas tuer tous les habitants du pays, ceux qui en seront restés vous deviendront comme des clous dans les yeux et comme des lances aux côtes, et ils vous combattront dans le pays où vous devez habiter; et je vous ferai à vous-mêmes tout le mal que j'avais résolu de leur faire»* (Num., XXIIII, 55-56).

Le château
de Montségur

Le château de Montségur (Ariège) fut bâti, ou reconstruit, sur les ruines d'une vieille forteresse, entre 1205 et 1211 environ, à la demande expresse du clergé cathare qui voulait en faire, sans aucun doute, le centre spirituel et la place de sûreté de la secte. De fait, le château a assuré sans interruption ce double rôle de 1209 à 1244, époque où il capitula. On pourrait s'attendre à y découvrir au moins une salle dont le style, les dispositions générales eussent conservé un «air» de catharisme : il n'en est rien. Le donjon ressemble à tous les donjons. Tout y est conçu en vue de la défense. Il est possible que des locaux à usage religieux se soient trouvés à l'extérieur, sur le rebord de la montagne, entre le rempart et l'abîme, ou plus loin, peut-être, sur l'emplacement du village actuel (qui n'était pas encore bâti). Mais s'ils ont existé, ils ont été détruits par l'Inquisition, qui faisait démolir jusqu'aux fondations tout édifice ayant abrité des hérétiques.

Reste le plan même du château : on connaît la thèse de M. Niel, selon laquelle Montségur aurait été, comme le donjon de Quéribus, et peut-être celui de Cabaret (Lastours, Aude), une sorte de temple solaire ou plutôt de calendrier zodiacal. «Il est un fait indéniable, écrit M. Niel : lorsqu'on se place au point voulu et qu'on regarde dans la direction choisie, on voit, selon la date, le soleil se lever exactement dans cette direction. Bien entendu, on ne saurait envisager un cas fortuit. La probabilité pour qu'il en soit ainsi donnerait le vertige. Le fait a donc été voulu.» Je ne sais trop que penser de cette théorie qui a, du moins, le mérite de souligner des coïncidences troublantes dans l'organisation des diverses parties du château, encore qu'elles soient en partie explicables par les harmonies que développe nécessairement tout «nombre d'or» esthétique. Quoi qu'il en soit — je m'en tiens ici à la plus simple et à la plus évidente des découvertes de M. Niel —, il est incontestable que l'axe du château — axe approximatif, parce que le château n'est pas symétrique — coïncide exactement avec la direction nord-sud; et que cet axe passe par deux points privilégiés : l'angle formé par les deux murs du nord et l'angle formé par les deux murs du sud. Mais ce qui est vraiment curieux, c'est que si l'angle des deux murs du sud (en réalité : sud-est) est vraiment un angle très prononcé, celui que forment les deux murs du nord-est, lui, est si largement ouvert qu'il passe généralement inaperçu. A telle enseigne que les architectes du XIIIᵉ siècle ont cru devoir marquer la cassure, le changement de direction, par une mince cannelure verticale qui court, à cet endroit, sur toutes les assises de la façade (extérieure). Il y a là, comme dit M. Niel, quelque chose de voulu. Car à supposer que les architectes aient décidé — on ne voit pas à quel autre motif ils auraient obéi — d'élargir vers l'est la surface du château, ils auraient pu le faire aussi bien en donnant la même direction à une courtine rectiligne. Que s'ils tenaient absolument à couder cette courtine, ils auraient obtenu le même résultat en situant l'angle en tout autre point et, pratiquement, en un point quelconque. Il faut donc constater ou bien qu'ils ont voulu séparer les deux murs du nord, ou, si l'on préfère, diviser la façade nord en deux pour créer un point remarquable ; ou bien qu'ayant été obligés, pour tout autre raison, de ne pas situer ces murs dans le prolongement exact l'un de l'autre, ils ont du moins choisi de localiser au nord exact leur angle de divergence : singularité qui peut s'expliquer par des exigences pratiques (l'ensoleillement maximum ?) ou esthétiques (l'orientation juste équilibrant ici la structure de l'ensemble), aussi bien que par un souci mystique de donner une valeur particulière au nord... ou au sud.

En revanche — n'en déplaise aux amateurs de mystère ! — on eût souhaité, étant donné le rôle important joué par le pentagone dans la symbolique cathare, que le château fût bâti sur un plan pentagonal. D'autant plus que, dans sa masse principale et abstraction faite du donjon, sûrement antérieur, auquel il est rattaché, il affecterait la forme d'un pentagone (irrégulier) si, précisément, le mur du nord ne se composait pas, en réalité, de deux murs. Ainsi, le château, qui aurait pu avoir cinq côtés, en a six ! Faut-il en déduire que l'architecte a ajouté un mur de plus pour que Montségur ne soit pas un pentagone ? Ou bien, comme je l'ai entendu soutenir à quelques illuminés, que le mur qu'il fallait nécessairement couder pour des raisons pratiques a du moins été coudé selon un angle ouvert au maximum, pour que l'œil ne pût s'apercevoir, surtout à l'intérieur, qu'il y avait deux murs, et pour que le château redevînt ainsi (en apparence) un pentagone ? On n'en finirait pas de détailler les vrais et les faux mystères de Montségur. Je n'ai insisté sur ces petites énigmes architecturales que pour donner aux curieux une idée de la complexité, en partie réelle, en partie imaginaire, des questions qui se posent à Montségur et y entretiennent une atmosphère de merveilleux plus ou moins authentique.

Le château a cependant un aspect singulier : on n'y voit aucune ligne courbe, sauf que les deux portes sont voûtées, aucune tour ronde ; aucune archère sur les façades. Seul le donjon possède des meurtrières. Comme les arêtes de la montagne sont incluses dans le rempart et qu'elles sont visibles de l'intérieur, comme le sol de la cour, où le roc affleure, n'a même pas été aplani, la forteresse devait donner l'impression, au XIIIe siècle, d'une sorte de chaos naturel où la pierre cubique n'arrivait que de justesse à surmonter la pierre brute. On se demande parfois si ce ne sont pas les rochers que l'architecture a voulu protéger. Y avait-il là un antique sanctuaire ibérique ou celtique ? Un lieu traditionnellement vénéré ? Il serait vain de trop s'interroger à ce sujet. Trop exigu, sommairement aménagé, assez peu confortable, le château de Montségur ressemble, sous ce rapport, à tous les donjons pyrénéens de la même époque. Mais il a un caractère nettement plus imposant qui tient à sa grande façade nue, à ses belles assises régulières, à sa porte monumentale, un peu insolite, un peu trop grande pour un château «sauvage» et si mal défendu : une porte pour le passage des âmes ! S'il n'a pas été un temple, «forteresse pour les vainqueurs, temple pour les vaincus», disait le poète Joë Bousquet, il mériterait de l'être. Il fait penser à un couvent fortifié, au château magique d'on ne sait quels «templistes». Les esprits imaginatifs, qui ne s'embarrassent pas de précision historique ni de chronologie, le confondent, non sans quelque exaltation, avec le château légendaire du Graal, encore qu'il ne contienne aucune salle assez vaste pour qu'ait pu s'y dérouler à l'aise la fameuse «procession de la Coupe, du Tailloir et de la Lance», décrite par Chrétien de Troyes et Wolfram d'Eschenbach. Ajoutons enfin qu'on ne peut pas ne pas être frappé de l'aspect plus nordique que méridional du paysage de montagnes qui l'environne. «Je vois d'ici, écrit Otto Rahn dans *la Cour de Lucifer,* de hautes montagnes assez semblables aux Alpes bavaroises, des forêts de sapins, des alpages enneigés. C'est sous cet aspect nordique que se présente à moi le Sud, tel que j'ai appris maintenant à le connaître.»

Montségur
et la parapsychologie

Parmi les nombreuses traditions qui courent à Montségur et dans la région, il n'en est pas de plus étrange que celle qui a trait aux Chinois ou plutôt aux «Tibétains». Je rapporte ici les faits tels qu'ils sont, sans chercher à les amplifier ni surtout à les expliquer.

1) On raconte dans la région de Lavelanet que les inquisiteurs ont poursuivi les hérétiques jusqu'au Tibet.

2) L'ingénieur A. A…, qui faisait des fouilles à Montségur en 1932, et dont Otto Rahn a parlé dans son livre (*Luzifers Hofgesinde*), était en rapport avec les esprits et invoquait les *maîtres tibétains*.

3) M.P…, de Lavelanet, que connaissent tous les habitués de l'hôtel Couquet à Montségur, m'a raconté dix fois, et il le répète encore à qui veut l'entendre, que, s'étant introduit un jour dans le souterrain creusé sous le château par l'ingénieur A…, mais en l'absence de celui-ci, il s'était trouvé brusquement en présence de l'image de trois Tibétains. L'apparition aurait duré quelques minutes… M. P… est un homme sérieux, cultivé et sceptique en toutes choses. Ce phénomène l'a beaucoup frappé et il n'en a jamais trouvé l'explication.

4) Tout dernièrement, un jeune homme fort réceptif et qui se met facilement en communication avec de prétendus «esprits» et avec des maîtres vivants s'étant rendu à Montségur, alors qu'il ignorait absolument le mystère tibétain qui y règne, fut fort surpris d'y recevoir un message dicté en caractères orientaux, qu'il m'a montré et dont la traduction est en cours.

Faut-il conclure de tout cela, avec les occultistes, que Montségur est «visité» par les Tibétains, ou bien, avec les parapsychologues, que l'ingénieur A… avait suscité, dans son souterrain, une image mentale, un égrégore extériorisé, que les sensitifs percevraient encore en certaines circonstances? Mais voici autre chose: j'avais toujours été frappé par la page de *Luzifers Hofgesinde* où Otto Rahn, rapportant la visite qu'il fit en 1932 à Arthur Caussou, de Lavelanet, dit exactement ceci: «Il [A. Caussou] m'apprit encore — et cela m'étonna beaucoup — qu'un de ses amis, aujourd'hui décédé, avait trouvé dans les ruines de Montségur un livre écrit en caractères chinois ou arabes, il ne savait pas; et que ce livre avait, par la suite, disparu.» Or, en janvier 1971, M. Ch. Delpoux, auteur d'excellentes études sur le catharisme, me mit sous les yeux un cahier dont une personne de Montségur venait de lui faire don. Ce cahier, qui a appartenu à A. A..., n'est autre que la copie faite par cet ingénieur en 1930 — il a inscrit à la dernière page : «Pour copie conforme, A. A... Montségur, décembre 1930» — d'un autre cahier, où le docteur J. Guibaud, de Lavelanet, avait consigné, entre 1852 et 1872, ses réflexions archéologiques. et autres, sur Montségur. Je publie ici les pages de ce manuscrit qui intéressent le mystère tibétain de Montségur, sans y rien changer.

Le manuscrit du Dr J. Guibaud

«... Mais l'objet le plus surprenant, par sa présence, qu'on y ait découvert, à ce qu'on dit, est un livre en papier, à reliure de parchemin, en possession du même Montségurien dont nous venons de parler, et que je n'ai pas eu, non plus, la bonne fortune de voir moi-même, ce qui m'empêche d'affirmer. Je possède pourtant un feuillet de ce livre qui me paraît écrit en caractères chinois. Il est de grand format in-16. En tête sont deux personnages, nu-tête, assis côte à côte au pied d'un arbre dont le tronc et les rameaux présentent une végétation étrange. Les courts rameaux qui en émanent offrent un port radié et sont dénudés de feuilles. Les herbes qui surgissent du sol où sont assises les deux figures et les collines représentées dans cette gravure offrent les mêmes dispositions radiées ; quant aux feuilles qui sont retombantes, elles semblent appartenir à des crassulacées. Les deux personnages, qui paraissent être plutôt de très jeunes gens que des adultes, sont faciles à reconnaître pour des Chinois à leurs robes amples, leur ventre proéminent, serré par une ceinture, et à leurs ongles longs et crochus qui garnissent leur doigts ; de même qu'on reconnaît aisément leur physionomie tartare fortement accusée par une face triangulaire, large, des pommettes saillantes, des mentons pointus, des yeux très écartés et obliquement fendus.

«Ces deux figures tiennent dans leurs mains un livre ou plutôt une carte plus étendue en largeur qu'en hauteur, et dont on ne voit guère que le dos, encadré par un trait et orné de dessins méconnaissables. La gravure et les caractères du feuillet paraissent, à leur couleur grisâtre, avoir été imprimés à la sépia ou encre de Chine ; tous deux sont aussi encadrés par de simples traits. Les caractères forment douze lignes contenant chacune huit signes bien espacés et aussi symétriquement alignés dans le sens vertical qu'horizontal.

«Voici le récit de la personne qui m'a fait don de ce feuillet. Etant allée, il y a environ trente ans, à Montségur, elle eut l'occasion d'aller voir le collectionneur montségurien, son ami, dont nous avons parlé. Outre des médailles et des armes, ce dernier lui montra le livre chinois dont il est question et, pendant un moment d'inattention, elle lui déroba, à cause de l'étrangeté de ses caractères, le feuillet détaché qui fait le sujet de cet alinéa.

«Il m'est difficile de m'expliquer comment un livre chinois a pu être découvert dans les ruines de ce château situé au milieu des terres et, disons mieux, à l'un des sommets les plus élevés de montagnes du département de l'Ariège. Nous comprendrions parfaitement la présence de ce volume dans les ruines d'un château du littoral de la France, où il eût pu être apporté par un marin en les mains duquel auraient pu le faire tomber ses relations avec la Chine, ou qui l'aurait recueilli comme épave d'un naufrage, ou comme butin dans la prise de quelque jonque pirate.

«Je préfère croire à une plaisanterie, à une mystification de la part du Montségurien à l'égard de mon donateur qui, quoique homme fort intelligent, n'est pas fort expert en ces matières et qui a donné complètement dans le panneau...»

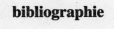

bibliographie

ALLIX, P   *Remarks upon the Ecclesiastical History of the Ancient Churches of the Albigences,* 1962. Réédition : Oxford, Clarendon Press, 1821.

ANGEBERT, J.M.   *Hitler et la tradition cathare,* R. Laffont, Paris, 1971.

ANGELOV, D.   *Le Bogomilisme en Bulgarie,* Sofia, 1969 (en Bulgare).

BELPERRON, P.   *La croisade contre les Albigeois,* Plon, Paris 1942.

BORST, A.   *Die Katharer,* Stuttgart, 1953.

BURKITT, F.C.   *The Religion of the Manichees,* Cambrigde University Press, 1925.

CAHIERS de   *Cathares en Languedoc,* Privat, Toulouse,
FANJEAUX, nº 3   1968.

CLOSS, H.   *High are the Mountains, And Sombre the Valleys — The Silent Tarn,* Dakers, Londres, 1945, 1949, 1951.

DANDO, M.   *Les origines du Catharisme.* édit. du Pavillon, Paris, 1967.

DANTE   *Tutte le opere, a cura di Luigi Blasucci,* Sansoni, Firenze, 1965 (contient *Il Fiore*).

DONDAINE, A.O.P.   *Le liber de duobus principiis* (un traité manichéen du XIIIe siècle, suivi d'un fragment du Rituel cathare); Istituto storico domenicano, Santa Sabina, Roma, 1939.

DURBAN, P.   *Actualité du catharisme,* Toulouse, 1968.

DUVERNOY, J.   *Le registre de l'Inquisition de Jacques Fournier* (1318-1323), 3 vol., «Bibliothèque méridionale», Privat, Toulouse, 1965.
                         — *La Liturgie et l'Eglise Cathares,* Cahiers d'Etudes Cathares, printemps 1965, automne 1967, Arques, Aude, 1967.

GRIFFE, E.   *Les débuts de l'aventure cathare en Languedoc* (1140-1190), Letouzey et Aîné, Paris, 1969.

GUIRAUD, J.   *Histoire de l'Inquisition au Moyen Age,* t. I, Paris, 1933, t. II, Paris, 1938.

GUIRDHAM, A. (D^r)   *Les cathares et la Réincarnation,* Payot, Paris, 1971.

HEGEDUS GEZA   *Ketzer und Könige;* Prisma-Verlag, Leipzig, 1966.

KOCH, G.   *Frauenfrage und Ketzertum im Mittelalter,* Berlin, 1962.

MADAULE, J.   *Le drame albigeois et le destin français,* Grasset, Paris, 1961.

MARTIN-CHABOT, E.   *La chanson de la croisade contre les Albigeois,* traduite du provençal, 3 vol., les Belles-Lettres, Paris, 1960-1961.

NELLI, R.   *Ecritures cathares,* Planète, Paris, 1968.
— *La vie quotidienne des Cathares languedociens au XIIIe siècle,* Hachette, Paris, 1969.

NIEL, F.   *Montségur, temple et forteresse des Cathares d'Occitanie,* Allier, Grenoble, 1967.

OLDENBOURG, Z.   *Le bûcher de Montségur,* Gallimard, Paris, 1959.

PAUWELS, L. et BERGIER, J.   *Le matin des magiciens,* Gallimard, Paris, 1960.

PEYRAT, N.   *Histoire des Albigeois,* 3 vol., Lacroix, Paris, 1870-1872.

PRIMOV, B.   *Les Bougres,* Sofia, 1970 (trad. Ribeyrol, encore inédite).

RAHN, O.   *La croisade contre le Graal,* Stock, Paris, 1934.
— *Luzifers Hofgesinde* (trad. René Nelli, inédite).

ROCHÉ, D.   *L'Eglise romaine et les Cathares albigeois,* édit. des Cahiers d'Études cathares, Arques, Aude, 1937.

ROQUEBERT, M.   *L'épopée cathare (1198-1212); l'Invasion;* Privat, Toulouse, 1970.

RUNCIMAN, St.   *Le manichéisme médiéval. L'hérésie dualiste dans le christianisme :* Payot, Paris, 1949.

SAURAT, D.   *Oc digas pas — Encaminament catar I et II — Lo caçaire,* coll. «Messatges», Inst. d'estudis occitans, Toulouse, 1954, 1955, 1960.

SENDRAIL, M.   *Sages et Mages,* Hachette, Paris, 1971.

SÖDERBERG, H.   *La religion des Cathares,* Uppsala, 1949.

THOUZELLIER, Ch.   *Un traité cathare inédit du début du XIIIe siècle, d'après le « Liber contra manicheos » de Durand de Huesca; Spicilegium sacrum Lovinense,* Louvain, 1964.

— *Catharisme et Valdéisme en Languedoc à la fin du XIIe siècle et au début du XIIIe,* P.U.F., Paris, 1966.

TOPENTCHAROV, V.   *Bougres et Cathares,* Seghers, Paris, 1971.

Table des matières

Première partie

Deuxième partie

Annexes

IMPRESSION : BUSSIÈRE S.A., SAINT-AMAND (CHER). — N° 1421.
D.L. JUIN 1985/0099/124
ISBN 2-501-0059-5
Imprimé en France.

Histoire Biographies

Marabout Université

Biographies

Marabout Université

Documents

Marabout Université

Littérature

Bibliothèque Marabout

Classiques

Science-fiction

Fantastique

Policiers

Sciences / Nature

Nature

Marabout Service

Marabout Université

Sciences

Marabout Service

Marabout Université